OKALECZONA

KHADY

OKALECZONA

Współpraca
Marie-Thérèse Cuny

Przekład
Ewa Cieplińska

Świat Książki

Tytuł oryginału
MUTILÉE

Redaktor prowadzący
Elżbieta Kobusińska

Redakcja merytoryczna
Barbara Waglewska

Redakcja techniczna
Julita Czachorowska

Korekta
Maria Włodarczyk
Irena Kulczycka

Świat Książki
Warszawa 2008
Bertelsmann Media sp. z o.o.
ul. Rosoła 10, 02-786 Warszawa

Wyłączna dystrybucja: Platon Sp. z o.o.
ul. Kolejowa 19/21, 01-217 Warszawa
e-mail: platon@platon.com.pl
www.platon.com.pl

Printed in EU

ISBN 978-83-247-1510-7

Nr 6792

Dla tych wszystkich, które
nadal cierpią na ciele i na duszy.

Salindé[*]

Nowy Jork, marzec 2005 roku.

Jestem Afrykanką i zimno tu jest dla mnie wprost lodowate. Chodzę, zawsze bardzo dużo chodziłam, tak że aż matka nieraz mnie strofowała:

– Dlaczego tyle chodzisz? Przestań! Zna cię już cała dzielnica!

Czasem nawet kreśliła niewidoczną linię na stopniu schodów przy drzwiach.

– Widzisz tę linię? Od tej chwili nie wolno ci jej przekroczyć!

A ja skwapliwie ignorowałam zakaz, by pobawić się z koleżankami, pójść po wodę, pospacerować po targu lub przyjrzeć się żołnierzom w pięknych mundurach maszerującym za murami osiedla. „Chodzenie" w *soninké*[**], języku mojej matki, oznacza-

---

* *Salindé* – w jęz. *soninké*: oczyszczenie. (Wszystkie przypisy pochodzą od tłumacza).

** *Soninké* – język z rodziny nigeryjsko-kongijskiej; mówi się w nim w Mali, Mauretanii, na Wybrzeżu Kości Słoniowej, w Senegalu, Gambii i Gwinei.

ło, że wszędzie mnie było pełno, niezmordowanie biegałam po okolicy, ciekawa świata.

Rzeczywiście, „przechodziłam" całe moje życie i zaszłam niewiarygodnie daleko – dzisiaj do UNICEF-u w Zurychu, wczoraj do ONZ, na 49. Sesję Zgromadzenia Narodowego, poświęconą zaangażowaniu się państw w obronę praw kobiet. Khady jest w ONZ! Wojowniczka o imieniu Khady, jeszcze nie tak dawno mała dziewczynka w samym „środku pustyni", jak wszystkie afrykańskie dzieci. Khady, która chodziła po wodę do fontanny, dreptała za babcinymi spódnicami i ciotkami otulonymi w tuniki *boubou*, nosząca dumnie na głowie naczynie z orzeszkami arachidowymi, pilnująca smażących się w oleju placków, by nabrały pięknego, bursztynowego koloru, i przerażona, kiedy nagle zawartość garnka znalazła się na ziemi! Jeszcze teraz słyszę krzyk babci:

– Wywróciłaś go? No to zaraz zobaczysz!

Widzę, jak schodzi po stopniach ganku, uzbrojona w wiklinową miotłę, która ma pełnić funkcję bata, a moje siostry i kuzynki się śmieją! Bije mnie po plecach, po pośladkach, aż przepaska zsuwa mi się z bioder i plącze między stopami! Dziewczynki biegną mi na pomoc, a wtedy babcia się do nich zwraca:

– Chcecie jej bronić? To wam też się dostanie!

Korzystam z chwili, by uciec do dziadka, chowam się za składanym łóżkiem, tam, gdzie babcia nie będzie mogła wejść. Dziadek jest moją ostoją i stróżem bezpieczeństwa. Nigdy sam nie wymierza kar, pozostawia to kobietom. Nie krzyczy, tylko tłumaczy.

– Khady, kiedy ci coś każą robić, musisz się skoncentrować na tym zajęciu! Na pewno poszłaś bawić się z koleżankami i nie zauważyłaś, że garnek zsuwa się na ziemię.

Po zasłużonym biciu mam teraz prawo – w ramach pocieszenia – do pieszczot babci i dziewczynek, do zsiadłego mleka i nieograniczonej ilości kuskusu. Z piekącymi jeszcze pośladkami bawię się lalką, siedząc z siostrami i kuzynkami pod wielkim mangowcem. Mała Khady oczekuje na swoje pierwsze pójście do szkoły we wrześniu, tak jak jej bracia i siostry. Matce bardzo na tym zależy, w naszym domu nigdy nie brakuje zeszytów ani ołówków, bo mama ciągle uzupełnia zapasy.

Życie jest błogie i piękne w dużym domu w Thiès* – mieście o szerokich alejach, wysadzanych ogromnymi drzewami, mieście spokojnym, w cieniu meczetu, do którego dziadek i inni mężczyźni chodzą modlić się o pierwszej godzinie świtu... Mój ojciec pracuje na kolei i niezbyt często go widuję. Zgodnie z tradycją powierzono mnie opiece babci Fouley, która nie ma własnych dzieci i może się zająć moim wychowaniem. Bo u nas bezdzietna kobieta nie ma powodów do narzekań na samotność. Dom mojej matki znajduje się sto metrów stąd, biegam więc nieustannie między dwoma domami i pałaszuję smakołyki w obu kuchniach. Dziadek ma trzy żony: pierwszą z nich jest Marie, matka mojej matki, drugą Fouley – to właśnie jej „oddano" mnie pod opiekę, i trzecią Asta, którą dziadek poślubił, jak nakazuje obyczaj, po śmierci najstarszego brata. Wszystkie one są naszymi babciami; te kobiety bez wieku bardzo nas kochają, wymierzają kary, a potem pocieszają.

W mojej rodzinie jest nas ośmioro: trzech chłopców i pięć dziewczynek; do naszego klanu należy także mnóstwo kuzynek, ciotek i siostrzenic. U nas każdy jest czyimś kuzynem lub kuzynką, ciotką lub siostrzenicą kogoś tam i... nas wszystkich! Nie sposób ich policzyć; niektórych moich kuzynów nigdy nie widziałam. Moja rodzina należy do szlacheckiej kasty, etnicznej społeczności Soninké, kasty rolników i kupców.

Dawniej handlowali tkaninami, złotem i kamieniami szlachetnymi. Dziadek pracował na kolei w Thiès i wprowadził tam mojego ojca. W mojej rodzinie są duchowni i rolnicy. Są imamami w swoich wioskach i miasteczkach. Szlachecka rodzina, *horé* w języku *soninké* oznacza między innymi bardzo poważne podejście do spraw wychowania; pojęcie „szlachectwo" nie ma nic wspól-

---

* Thiès – drugie co do wielkości miasto w Senegalu.

nego z europejskim znaczeniem tego terminu. Wpajano nam prawość, uczciwość, dumę i respektowanie danego słowa – podstawowe wartości, które towarzyszą nam przez całe życie.

Urodziłam się tuż przed odzyskaniem niepodległości pewnego październikowego dnia 1959 roku. A więc w październiku 1966 kończę siedem lat i czeka mnie pójście do szkoły. Aż do tej chwili żyłam szczęśliwie, otoczona miłością. Nauczono mnie, jak uprawiać ziemię, gotować i rozróżniać przyprawy, które moje babki sprzedawały na targu. Dostałam pierwszą ławeczkę, kiedy miałam cztery lub pięć lat; babcia Fouley kazała ją zrobić specjalnie dla mnie, bo każde dziecko musi mieć swoją ławkę. Siada na niej, żeby zjeść kuskus, idzie z nią do pokoju matki czy do tej babci, która się nim zajmuje, wychowuje, myje, ubiera, karmi, pieści lub karze. Ta mała ławka jest przyczyną kłótni między dziećmi: „Zabrałeś moją ławkę!". „To nie twoja ławka!". „Oddaj jej ławkę, ona jest starsza!". Ławkę się zachowuje, dopóki drewno nie zaczyna się kruszyć, albo po prostu się z niej wyrasta. Wtedy dostaje się większą i swoją można oddać młodszemu dziecku.

Babcia kazała zrobić ławkę specjalnie dla mnie i sama za nią zapłaciła. Przyniosłam ją dumnie na głowie do domu: ławka jest symbolem przejścia z wczesnego dzieciństwa, kiedy siedzi się na podłodze, do statusu starszego dziecka, które siedzi i chodzi jak dorośli. Wędruję po polach, po targowych uliczkach, pomiędzy błyskotkami, baobabami i mangowcami rosnącymi na podwórku, z domu babci do matki, z domu do fontanny; chroniona przez rodzinę, mam poczucie błogiego bezpieczeństwa, które wkrótce w brutalny sposób zostanie przerwane.

Wciąż się przemieszczam, od kiedy skończyłam siódmy rok życia: z Thiès do Nowego Jorku, przez Rzym, Paryż, Zurych czy Londyn; nigdy nie przestałam wędrować, a zwłaszcza od czasu, gdy babcie przyszły mi powiedzieć: „Dzisiaj, córko, zostaniesz oczyszczona".

Poprzedniego dnia przyjechały kuzynki z Dakaru, aby spędzić tutaj wakacje. Jest moja sześcioletnia siostra Daba; są też Lélé,

Annie i Ndaié – moje siostry cioteczne, a także jakieś dalsze kuzynki, których imion nie pamiętam. Około tuzina dziewczynek między szóstym a dziewiątym rokiem życia, siedzące z wyciągniętymi nogami na ganku przed domem którejś z babć. Bawimy się razem w dom, w sprzedawanie przypraw na targu, w gotowanie w małych żelaznych naczyniach, które zrobili dla nas rodzice, a także drewnianymi lalkami i kolorowymi skrawkami materiału.

Tego wieczoru zasypiamy jak zwykle w pokoju babci, ciotki czy matki.

Nazajutrz budzą mnie bardzo wcześnie, myją pod prysznicem. Matka ubiera mnie w kwiecistą sukienkę bez rękawów, z afrykańskiej tkaniny, ale o europejskim fasonie. Pamiętam jeszcze kolory: brązowy, żółty i brzoskwiniowy. Wkładam kauczukowe sandały. Jest bardzo wczesna godzina. Na ulicach nie ma jeszcze żadnego ruchu.

Przechodzimy obok meczetu, w którym modlą się mężczyźni. Drzwi są szeroko otwarte i wyraźnie słyszę ich głosy. Słońce jeszcze nie wstało, ale jest już bardzo ciepło. To pora deszczowa, ale teraz nie pada. Za kilka godzin temperatura osiągnie trzydzieści pięć stopni.

Matka prowadzi mnie i siostrę do dużego domu, do trzeciej żony dziadka, kobiety około pięćdziesiątki, drobnej, sympatycznej i bardzo łagodnej. Moje kuzynki mieszkają u niej podczas wakacji i teraz, tak jak my, są już umyte, ubrane i czekają; takie małe stadko, bardzo czyste, grzeczne, niewinne i mocno zaniepokojone. Matka zostawia nas i odchodzi. Patrzę za nią długo, jest szczupła i zgrabna – mieszanka krwi mauretańskiej i peul*. Moja matka jest wielką damą; w tamtych czasach niezbyt dobrze ją znałam, wiem jednak, że wychowywała swoje dzieci, synów i córki, traktując je jednakowo, bez dyskryminacji: szkoła dla wszystkich, praca dla wszystkich, kary i pieszczoty także dla wszystkich. Ale teraz odchodzi, nie mówiąc ani słowa.

---

* *Peul* – ludy Afryki Zachodniej zamieszkujące tereny Senegalu i Nigru.

Dzieje się coś szczególnego, bo babcie nieustannie wchodzą i wychodzą, coś do siebie tajemniczo szepcą, a nas trzymają na uboczu. Zupełnie nie wiem, co mnie czeka, ale tą dziwną krzątaniną zaczynam się niepokoić. W pewnym momencie babcia przywołuje całe stadko dziewczynek, bo „pani" właśnie przyszła. Kobieta, ubrana w ogromną tunikę *boubou* w kolorach indygo i niebieskim, w uszach ma wielkie kolczyki; jest niskiego wzrostu, a jej twarz wydaje mi się znajoma. To przyjaciółka jednej z moich babć i pochodzi z kasty kowali; mężczyźni należący do tej kasty zajmują się obróbką żelaza i obrzezaniem chłopców, a kobiety „obcinają" małe dziewczynki. Pojawiły się także dwie inne kobiety, których nie znam: silne matrony o solidnych ramionach. Być może moje starsze kuzynki wiedzą, co nas czeka, ale nam nic nie powiedziały.

W języku *soninké* babcia oznajmia nam, że zostaniemy poddane *salindé*, aby „dostąpić zaszczytu modlitwy", co oznacza, iż będziemy „oczyszczone", by móc się modlić. Inaczej mówiąc: obrzezane. Albo: „obcięte".

Doznaję szoku. Teraz już wiem, co mnie czeka. To „ta rzecz", o której matki mówią nam od czasu do czasu, jakby chodziło o dostąpienie jakiegoś tajemniczego, wyjątkowego zaszczytu. Wydaje mi się, że zaczynam dostrzegać obrazy, które przedtem beztrosko odrzucałam. Wszystkie starsze siostry już to przeszły. Poinstruowały je babcie, mające przywilej zarządzania domem i wychowywania dzieci. Kiedy w rodzinie rodzi się dziewczynka, to one siódmego dnia po chrzcinach przekłuwają jej uszy igłą, pozostawiając w dziurce, żeby nie zarosła, czarną i czerwoną nitkę. To one zajmują się ślubami, porodami, niemowlętami i to one zadecydowały o naszym oczyszczeniu.

Matki odeszły. Dziwne, że opuściły nas w takiej chwili; teraz jednak wiem, iż żadna matka, nawet o najtwardszym sercu, nie jest w stanie znieść widoku tego, co robią jej córce, zwłaszcza nie może wytrzymać jej krzyków. Matka dobrze wie, co ma się stać, sama przecież tego doświadczyła; kiedy więc dotyczy to także rodzonego dziecka, serce znowu zaczyna jej krwawić. A mimo to się zgadza, bo taki jest zwyczaj, nie zastanawia się nad sensem tego barbarzyńskiego rytuału, który rzekomo ma nas „oczyścić do modlitwy", ma nas doprowadzić w dziewictwie do małżeństwa i pozostania w wierności.

To wyjątkowo perfidne oszustwo, które każe trzymać kobiety afrykańskie w przeświadczeniu o słuszności obrzędu niemającego nic wspólnego z religią. W krajach Czarnej Afryki obrzezanie praktykowane jest zarówno wśród animistów*, chrześcijan, muzułmanów, jak i żydów Felaszów. Początki rytuału sięgają odległych czasów, zanim jeszcze pojawił się islam. Mężczyźni chętnie go zaakceptowali z naprawdę niecnych powodów: zagwarantowania sobie władzy, pewności, że ich żony nie pójdą do innego mężczyzny, a samce z wrogiego plemienia nie będą mogli ich zgwałcić! Istnieją jeszcze inne, równie bzdurne powody: uważa się, że narządy płciowe kobiet są brudne, skalane i diaboliczne. Najbardziej zaś diaboliczna jest łechtaczka, która, dotykając główki dziecka podczas porodu, skazuje niemowlę na wszelkie możliwe nieszczęścia, ze śmiercią łącznie. Niektórzy są przekonani, że ta fałszywa namiastka męskiego penisa rzuca cień na ich męskość.

Jedyną prawdziwą przyczyną jest dominacja mężczyzn. I oni tę „egzekucję" powierzyli kobietom, bo było nie do pomyślenia, aby jakiś mężczyzna „zobaczył" tę jakże intymną część kobiecego ciała, nawet w stanie embrionalnym.

Skończyłam siedem lat i jak inne dziewczynki nie wiem o tym, że mam łechtaczkę i do czego ona służy. Nigdy jej dotąd nie zauważyłam i już nigdy nie zobaczę. Jedyna rzecz, która się liczy tego poranka, to zapowiedź strasznego bólu, o czym już niegdyś słyszałam, ale sądziłam, że do mnie to się nie odnosi. I wspomnienia o matce czy babci, która groziła nożem lub nożyczkami

---

* Animizm – wierzenia zakładające, że istnieje pierwiastek witalny, podobny do duszy ludzkiej, odciskający swoje piętno na niektórych przedmiotach, miejscach i zjawiskach naturalnych.

małemu, niesfornemu chłopcu, wykonując znany, niedwuznaczny gest, jakby ciągnęła go za siusiaka, i wypowiadając straszliwe dla niego zdanie: „Jeśli nie będziesz posłuszny, to ci obetnę!”. W odpowiedzi na taką groźbę „kastracji” malec brał nogi za pas; palące wspomnienie obrzezania utkwiło mu dobrze w pamięci. Jedyna różnica polega na tym, że chłopcy później nie cierpią z tego powodu, a ich obrzezanie jest obyczajem tylko i wyłącznie higienicznym. Pamiętam jednak, że przez kilka dni potem chodzili w dziwny sposób, jak kaczki, siadali z trudem i użalali się nad sobą przez jakieś trzy dni, czasem przez tydzień. Wtedy myślałam, że mnie to nie dotyczy, byłam przecież dziewczynką.

Zupełnie nie wiem, co wtedy, w 1967 roku, oznaczało dla mnie to krwawe, intymne obcięcie. Ale wiem na pewno, że doprowadziło mnie ono, przez lata trudne i niekiedy bolesne, w 2005 roku aż do ONZ.

Serce zaczyna mi walić coraz szybciej. Kobiety usiłują nas przekonać, że nie należy płakać, kiedy zostanie się oczyszczoną. Trzeba być odważną. Babcie doskonale zdają sobie sprawę, że jesteśmy bardzo młodziutkie i będziemy wyć, krzyczeć, ale nie mówią nam o bólu. Powtarzają tylko: „To nie trwa długo, zaboli przez chwilę i jest po wszystkim, więc bądź odważna”.

W tym momencie uświadamiam sobie, że nie ma z nami ani jednego mężczyzny. Są w meczecie albo pracują w polu, dopóki nie zrobi się gorąco. Nie ma nikogo, do kogo mogłabym uciec, a najważniejsze – nie ma tu mojego dziadka. W tamtych czasach zachowanie tradycji było sprawą pierwszorzędnej wagi; dla naszych matek i babć należało to zrobić, i już. Nie myślały o tym, że teraz mieszkamy w mieście, ani o tym, co się dzieje w innych domach, na przykład w rodzinach plemienia Wolof. Na mojej ulicy tylko dwie rodziny praktykowały *salindé*: jedna, która przybyła z Casamance, o nazwisku Mandingues, i my, z plemienia Soninké. Trochę dalej mieszkały rodziny Toucouleur i Bambara, które zachowały te same obyczaje. Ale ta praktyka jest czymś sekretnym, stosowana w ukryciu, nigdy się o niej nie rozmawia, zwłaszcza z Wolof. To są sprawy, o których nie można mówić. Nasi rodzice mieli zamiar wydać nas później za mąż za kuzynów należących do tej samej rodziny. A oni musieli mieć prawdziwe kobiety *soninké*, zachowujące tradycję. Wtedy nikt nie przewidywał, że pewnego dnia dojdzie do małżeństw mieszanych, a małżonkowie będą należeć do odmiennych grup etnicznych.

Etniczne grupy: Soninké, Sérères, Peuls, Bambara czy Toucouleur – to imigranci, którzy przybyli do miasta. I jak w każdej rodzinie imigrantów rodzice bardzo się starają, by dzieci nie zapomniały o swej wiosce ani o kultywowaniu tradycji. Niektóre obyczaje są dobre; inne, jak ten – straszne.

Dziewczynki uspokajają się, sparaliżowane strachem; tak bardzo się boją, że pewnie niejedna zrobiła siusiu w majtki. Ale żadna nie próbuje się bronić, to jest nie do pomyślenia. Nawet jeśli szukają wzrokiem kogoś wrażliwszego, kto pomógłby im stamtąd wyjść. Może dziadek… Gdyby zdawał sobie sprawę z okrucieństwa tego czynu, może pośpieszyłby z interwencją. Nie wydaje mi się jednak, żeby do końca wiedział, o co chodzi. Kobiety oskarżają mężczyzn, że są inicjatorami tej „operacji", ale w wielu wioskach o tym się ojców nie informuje, chyba że obrzezanie jest dokonywane wspólnie, traktowane jako rytuał inicjacyjny – wtedy wie o tym cała wioska. Natomiast w miastach przeprowadza się je w zaciszu domowym, w ukryciu, tak by sąsiedzi o niczym się nie dowiedzieli. Mojego ojca nie było, nikt nie pytał go o zdanie, a tym bardziej dziadka ze strony matki. To była typowo kobieca sprawa, a my miałyśmy się stać takimi kobietami jak one.

Kobiety rozwinęły dwie duże maty – jedną przed drzwiami pokoju, a drugą przed wejściem do łazienki. Pokój przypominał pomieszczenia w rodzinnym domu: duże łóżko, mały kredens i żelazne kufry, w których chowano kobiece dobra. Jedne drzwi prowadzą do kabiny prysznicowej, wyposażonej w dziurę w cementowej podłodze i kran; drugie – do spiżarni. Dla nas przygotowano inne ubrania i ułożono je na łóżku. Już nie pamiętam, którą z nas wezwano pierwszą, tak bardzo się bałam. Byłyśmy tam i chciałyśmy patrzeć szeroko otwartymi oczami, chciałyśmy wiedzieć, jak się to odbywa, ale babcie stanowczo nam nie pozwalały.

– Odsuń się! Odejdź stąd! Siadaj! Usiądź na podeście!

Nie mamy prawa widzieć, co chcą nam zrobić. W pomieszczeniu są trzy lub cztery kobiety i mała dziewczynka. Kiedy usłyszałam przerażające krzyki, zaczęłam płakać. Nie było wyjścia, ratunku, trzeba było przez to przejść. Byłam czwarta czy piąta z kolei, siedziałam na ganku z wyciągniętymi przed siebie nogami, trzęsąc się za każdym razem, kiedy rozlegało się wycie; moje ciało kurczyło się przy każdym krzyku.

Dwie kobiety schwyciły mnie i zaciągnęły do pokoju. Stojąca za mną obejmuje moją głowę, a jej kolana miażdżą mi ramiona strasznym ciężarem, abym nie mogła się ruszyć; druga rozkłada mi nogi i mocno trzyma za kolana. Sposób unieruchomienia zależy od wieku dziewczynki, a przede wszystkim od jej dojrzałości. Jeśli bardzo się wierci, bo jest duża i mocno zbudowana, więcej kobiet musi ją przytrzymywać. Jeżeli dziewuszka jest mała i szczuplutka, wystarczą dwie. Kobieta mająca nas „obcinać" jest wyposażona w żyletkę; każda z matek kupiła taką żyletkę dla swojej córki.

Ciągnie palcami, wyciąga, jak może najdalej, tę maleńką część mojego ciała i kroi, jakby obcinała kawałek mięsa zebu. Na moje nieszczęście nie udaje jej się wykonać tego jednym ruchem. Zmuszona jest piłować.

Wycie, jakie z siebie wtedy wydawałam, do tej pory dźwięczy mi w uszach. Krzyczałam i płakałam.

– Powiem o wszystkim ojcu, powiem dziadkowi Kisima! Kisima, Kisima, Kisima, przyjdź, och przyjdź, one chcą mnie zabić, przyjdź po mnie, one chcą mnie zabić, przyjdź... Mamo! Przyjdź! Baba, Baba, gdzie jesteś, Baba? Kiedy wróci mój ojciec, zabije was wszystkie, zabije was, zabije, zabije...

A kobieta tnie, piłuje, wykrawa; patrzy na mnie z drwiącym uśmiechem, jakby chciała powiedzieć: „Ależ tak, oczywiście, kiedy twój ojciec wróci, to mnie zabije, no pewnie...".

Wzywam na pomoc całą moją rodzinę, dziadka, ojca i matkę, muszę wykrzyczeć słowa protestu wobec tej strasznej niesprawiedliwości. Zamykam oczy, nie chcę widzieć, nie mogę patrzeć na to, jak ta kobieta mnie okalecza.

Krew trysnęła jej na twarz. Nie można opisać tego okropnego bólu, który nie jest podobny do żadnego innego. Jakby wyciągano ze mnie wszystkie wnętrzności, a w głowie walił młot. Po kilku minutach nie czuję bólu w tym jednym, konkretnym miejscu, lecz w całym ciele, mam wrażenie, że grasuje w nim oszalały z głodu szczur albo wielka armia mrówek. Moje ciało jest mocno obolałe, od czubka głowy po stopy, ból przechodzi przez brzuch.

O mało nie zemdlałam, ale jedna z kobiet polała mnie zimną wodą, by zmyć krew, która chlusnęła mi na twarz, i na skutek tego nie utraciłam przytomności. Dokładnie w tym momencie wydawało mi się, że umieram, że już jestem martwa. Nie czułam wyraźnie własnego ciała, jedynie ten straszliwy, wewnętrzny skurcz nerwów; byłam pewna, że głowa za chwilę mi pęknie.

– Uspokój się, już kończę, jesteś przecież odważną dziewczynką... Uspokój się! Przestań się ruszać! Im więcej się ruszasz, tym bardziej boli...

Wreszcie przestała ciąć. Teraz stara się zatamować krew, która płynie wartkim strumieniem; wyciera mnie kawałkiem materiału zmoczonym w letniej wodzie. Powiedziano mi później, że używała również jakiegoś środka własnej produkcji; sądzę, że był to środek dezynfekujący. Potem smaruje mnie masłem *karita** wymieszanym z czarną sadzą w celu zapobieżenia infekcji, ale niczego mi nie wyjaśnia.

Na koniec poleca:

– A teraz wstań!

Pomagają mi, bo od bioder do stóp niczego w ogóle nie czuję, jest tam jakaś pustka, nie mogę ustać na nogach. W głowie nadal

---

* *Karita* – drzewo masłowe.

wściekle wali mi młot, ale kończyn nie mam wcale. Moje ciało jest przecięte na pół.

Jakże wtedy nienawidziłam tej kobiety! A ona już poszła po następną dziewczynkę, wzięła inną żyletkę, by zadać taki sam ból. Moje babcie doprowadziły mnie do porządku, wytarły czystym ręcznikiem, ubrały w nową tunikę; teraz trzeba wyjść z pokoju. Ale ja nie mogę chodzić, zanoszą mnie więc na ganek i sadzają na macie obok innych dziewczynek, także „obciętych" i nadal rzewnie płaczących; ja również płaczę. Tymczasem kolejna ofiara, sterroryzowana strachem, zmuszona siłą, zajmuje moje miejsce w pokoju tortur.

Tego cierpienia do tej pory nie potrafię określić. W całym życiu nie doświadczyłam niczego równie okropnego. Urodziłam dziecko, mocno dokuczała mi kolka nerkowa, ale każdy ten ból był inny. Tamtego dnia sądziłam, że umieram i już się nie obudzę. Bolało tak strasznie, że miałam ochotę zapaść się pod ziemię. Gwałt zadany mojemu dziecięcemu ciału był niezrozumiały; nikt mnie o nim nie uprzedził – ani starsze siostry, ani dojrzalsze koleżanki – po prostu nikt. Był więc całkowicie niesprawiedliwy, takie bezinteresowne okrucieństwo, straszne, bo niewytłumaczalne. Za co byłyśmy karane? I do czego służyła ta rzecz, którą właśnie nam wycięto za pomocą żyletki? Dlaczego mi to zabrano, skoro się z tym urodziłam? Czyżbym nosiła w sobie jakieś zło, coś diabolicznego, co należało usunąć, żebym mogła modlitwą łączyć się z Bogiem? Niepojęte.

Leżałyśmy na macie, dopóki nie dołączyła do nas ostatnia dziewczynka, cała we łzach. Kiedy ta pani „od kowala" skończyła wreszcie swoją pracę obrzezania wszystkich, kobiety sprzątnęły w pokoju krew „oczyszczonych" i wyszły. Wtedy pojawiły się mamy i babcie, żeby nas pocieszyć.

– Przestań płakać, byłaś bardzo odważna, nie można tak płakać. Nawet jeśli boli, trzeba być mężną, przecież to już koniec, wszystko dobrze poszło... Przestań płakać.

Ale nie można przestać. Płacz jest czymś koniecznym, to nasza jedyna obrona.

Chłopcy w domu spoglądają na nas w milczeniu, osłupiali na widok śladów krwi i płaczu ich niedawnych towarzyszek zabaw.

Znałam kobietę, która mnie „obcięła". Wiem, że nadal żyje. Babcia Nionthou z kasty kowali była w tym samym wieku co inne moje babcie, chodziła razem z nimi na targ i regularnie je odwiedzała, cieszyła się opinią „kobiety z kasty" i była bardzo przywiązana do naszej rodziny. Żona kowala powinna zajmować się „obcinaniem" dziewczynek, a jej mąż obrzezaniem chłopców. W tamtych czasach ta tradycja *salindé* przenosiła się od wioski do miasta aż do drugiej ekonomicznej stolicy kraju, do Thiès.

Babcia Nionthou wraca tego samego wieczoru, żeby obejrzeć ranę, przychodzi również przez parę następnych ranków. Pierwszego dnia nadal odczuwam potworny ból. Leżę. Nie jestem w stanie położyć się ani na prawym, ani na lewym boku, mogę opierać się jedynie na pośladkach; czasami podkładam pod nie ręce, żeby się nieco unieść i na moment złagodzić cierpienie. Ale ulga trwa tylko chwilę. Dodatkową, okrutną męką jest siusianie, w tej sytuacji praktycznie niewykonalne. Nie pomoże tu żadne pocieszenie: ani tradycyjne śniadanie, *lakh*, potrawka z prosa, ani zsiadłe mleko specjalnie dla nas zrobione. Żadna dziewczynka nie może nic przełknąć. Nawet taniec jednej z babć, która klaszcze w ręce w rytm „jujujujuju", by uświęcić naszą odwagę. Jaką znowu odwagę? Wcale jej nie miałam i cieszę się z tego, że mi jej zabrakło. W tych czasach nasze matki, ciotki i babcie dawały żonie kowala drobne upominki: przepaskę, ryż, czy tunikę *boubou* lub jakąś niewiele znaczącą sumę pieniędzy.

Jest pora południowego posiłku i nagle zdaję sobie sprawę, że aby uczcić to wydarzenie, zabito jednego, może nawet dwa barany. A więc mężczyźni muszą wiedzieć o wszystkim, bo bez ich wiedzy i pozwolenia nigdy nie zabija się barana. Widzę, jak rodzina się cieszy i ucztuje, dostajemy najlepsze kęski, ale nie jesteśmy w stanie jeść. Leżałam tak przez dwa dni. Tylko wieczorem zjadłam trochę zupy, która miała uśmierzyć mój ból. No i ze względu na upał trzeba było pić wodę. Zimna woda przynosiła ulgę na jakieś dwie sekundy. Leczenie jest nadal bardzo bolesne. Krew krzepnie i „ta pani" zeskrobuje ją ostrzem brzytwy. Najbardziej pomogłaby mi miska z letnią wodą, ale zamiast tego ona znowu ciągnie i skrobie tym przeklętym ostrzem. Nie mogę spać; leżę z szeroko rozpostartymi nogami, instynktownie boję się je złączyć, żeby nie cierpieć. Wszyscy szukają czegoś, co mogłoby przynieść ulgę, ale niczego nie znajdują. Woda! Najlepiej byłoby zanurzyć się w wodzie i w ogóle z niej nie wychodzić, ale o tym nie ma mowy, dopóki rana się nie zabliźni.

– Wstań choć na chwilę i spróbuj chodzić.

Niemożliwe. Odmawiam. Przestaję płakać dopiero wtedy, gdy zapadam w ciężki sen, wywołany zmęczeniem, poczuciem klęski i żalu, że nikt nie przyszedł mi z pomocą. Wieczorem zmuszają mnie do wstania, mam przejść do innego pokoju i spać razem z tuzinem kulejących dziewczynek, leżących na macie z rozłożonymi nogami. Nikt nic nie mówi, zupełnie jakby nasze radosne dzieciństwo ktoś zatkał ciężkim ołowianym korkiem. Każda z nas ma swój ból, na pewno taki sam jak leżąca obok sąsiadka, ale nie wiemy, czy przeżywamy go jednakowo. Czy jestem mniej odważna niż inne? W moim umyśle panuje zamęt. Nie wiem, do kogo mam mieć pretensję. Czy do tej kobiety, którą od razu znienawidziłam? Do rodziców? Ciotek? Babć? Mam pretensję do wszystkich. Także do życia. Kiedy zrozumiałam, co mnie czeka, byłam przerażona, ale łudziłam się nadzieją, że to będzie drobiazg. Nie przypuszczałam, że cięcie będzie takie głębokie, że ból będzie tak porażający i trwający bardzo długo. Babcie przyniosły napar z roślin, którymi przetarły nam czoła, oraz ciepły bulion do wypicia na rozluźnienie mięśni brzucha.

Mijają kolejne dni i ból powoli słabnie, ale nie ustępuje z naszej psychiki. I chociaż po czterech dobach fizycznie czujemy się lepiej, to nadal cierpienie tkwi w głowach. Rozsadza mi czaszkę, jakby zaraz miała wybuchnąć. Może dlatego, że nie mogłam przewrócić się z boku na bok i musiałam leżeć na wznak; może dlatego, że dopiero po dwóch dniach mogłam się wysiusiać.

Właśnie to było najgorsze. Babcie nam tłumaczyły, że im dłużej wstrzymuje się mocz, tym mocniej potem boli. Miały rację, ale najpierw trzeba móc to zrobić! Jedna z nas, która pierwsza podjęła taką próbę, natychmiast z niej zrezygnowała; słyszałam, jak przeraźliwie krzyczała z bólu, jakby ją jeszcze cięto. Inne się wstrzymywały. Niektóre, te odważniejsze, usiłowały siusiać jeszcze tego samego wieczoru. Ale ja nie mogłam przez całe dwa dni i to przysporzyło mi dodatkowych cierpień. Nadal krzyczałam i płakałam prawie bez przerwy...

Leczono nas przez tydzień, regularnie, rano i wieczorem przykładano opatrunki z masła z drzewa masłowego, do tego dodawano czarny popiół i jakieś starte na proszek rośliny, równie tajemnicze jak mamrotane cicho słowa przez kobietę, która przykładała tę miksturę. Dziwna litania, przeplatająca się ze słowami modlitwy, miała najprawdopodobniej odpędzić zły urok i pomóc nam w szybkim wyzdrowieniu. I wierzyłyśmy w to, chociaż nic nie rozumiałyśmy. Ta kobieta robiła mi pranie mózgu, mamrocząc rzeczy, które tylko ona znała, a które miały uchronić mnie przed złymi spojrzeniami.

A wreszcie zaczęli się zjawiać mężczyźni: dziadek, a potem inni. Sądzę, że czekali, aż umilkną krzyki i płacze. Pamiętam, że dziadek położył mi rękę na głowie i modlił się w ciszy przez kilka minut, a potem bez słowa odszedł.

Nic mu nie powiedziałam. Nie prosiłam go o pomoc, nie ma po co, skończyło się. A jednak w jego oczach nie widziałam radości. Kiedy czasem o tym myślę, wydaje mi się, że tego dnia nie był zadowolony... I naprawdę nie mógł nic zrobić: zabronić kobietom odprawienia rytuału, przez który same kiedyś przeszły, było rzeczą niemożliwą.

Pozostawało tylko wierzyć kobietom.

– Wkrótce o tym zapomnisz i znów będziesz mogła biegać i chodzić jak dawniej.

To prawda, kiedy ból wreszcie minie, można o nim zapomnieć. I tak się właśnie stało, chyba po tygodniu. Ale coś się we mnie definitywnie zmieniło. Chociaż wtedy nie zdawałam sobie z tego sprawy. Sporo czasu upłynęło, zanim obejrzałam ranę. Pewnie bardzo się tego bałam, a poza tym kobiety pouczały nas, że nie jest to zgodne z naszymi obyczajami. Polecały nam jedynie, by myć to intymne miejsce, do którego nie przywiązuje się żadnej wagi poza tym, że trzeba utrzymywać je w czystości. Należy zawsze o tym pamiętać, bo inaczej brzydko się pachnie; matki często nam to powtarzają.

Trzy czy cztery tygodnie później, kiedy już moje kuzynki wyjechały z powrotem do Dakaru, by tam dalej normalnie żyć jak przed obrzezaniem, pewnego dnia poczułam niepohamowaną chęć obejrzenia tego miejsca, w którym nastąpiło cięcie. Zobaczyłam jedynie bliznę, która zdążyła już stwardnieć, dotknęłam jej delikatnie palcami, bo nadal bolała, i domyśliłam się, że właśnie tutaj coś mi wycięto. Ale co?

Przez półtora miesiąca odczuwałam wewnętrzny ból, jakby robił się tam czyrak, który nie może wydostać się na zewnątrz. A potem przestałam o tym myśleć i o nic nie pytałam. Nawet sobie nie stawiałam żadnych pytań. Babcie miały rację: zapomina się szybko. Nikt nas nie uprzedził, że nasze życie nigdy już nie będzie takie samo jak innych kobiet. Pewnego dnia jakaś kobieta z Wolof, mieszkająca w tej samej dzielnicy, zawitała do naszego domu. Jeździła często do Mali i dobrze znała sprawę. Właśnie tego dnia obrzezano moje dwie małe kuzynki. I usłyszałam, jak ta kobieta powiedziała głośno:

– Ach! Więc wy, z Soninké, wciąż stosujecie te okrutne praktyki? Jeszcze nie przejrzałyście na oczy? Nadal jesteście dzikuskami! Przecież to barbarzyństwo!

Mówiła to, śmiejąc się, w formie żartu, bo w Afryce panuje taki zwyczaj, że nie rani się i nie obraża swojego rozmówcy. Wtedy nie myślałam nad sensem usłyszanych słów, stało się to znacznie później, po jakichś dziesięciu latach, kiedy zaczynałam rozumieć, że mój los, kobiety Soninké, miał swój początek właśnie tamtego dnia, od tamtego cięcia, pozbawiającego mnie do końca życia prawdziwej, kobiecej seksualności. Jakbym dostała w chwili urodzin nieznany kwiat, który nigdy w pełni nie zakwitnie.

A jednak wiele spośród afrykańskich kobiet uważało, że właśnie obrzezanie jest czymś normalnym. Było to całkowite poddanie się władzy mężczyzn, wyłącznie dla ich przyjemności. Mężczyzna miał tylko wziąć sobie ten młody kwiat, obcięty specjalnie dla niego, i spokojnie patrzeć, jak przekwita przed czasem.

W jednym z zakamarków pamięci ciągle siedzę pod mangowcem przed domem moich dziadków, tam gdzie byłam naprawdę szczęśliwa i fizycznie nieokaleczona. Gotowa, by stać się nastolatką, potem kobietą, stworzoną do miłości, której tak bardzo pragnęłam... Ale to zostało mi zabronione.

Wzrastać

Nie ma już babci Fouley. Jednak jej dobroduszna twarz i pogodne usposobienie nigdy nie zniknęły z mojej pamięci. Pozostaje mi po niej jasne, świetliste wspomnienie. Tego okropnego dnia nie ocaliła mnie od aktu barbarzyństwa, ale potem opiekowała się mną jak nikt inny. Bardzo mi jej brakuje. Podczas tego tygodnia cierpień, kiedy leżałam na macie obolała, nieszczęśliwa i upokorzona, myślałam o niej prawie bez przerwy. Dotąd widzę ją w wielkiej tunice *boubou*, niebieskiej w białe kwiaty. Chodzi pewnym, spokojnym krokiem, ani za szybkim, ani za wolnym, chyba że jest praca w polu i trzeba się śpieszyć, nim słońce wzniesie się zbyt wysoko, a potem wrócić w południe przed obezwładniającym upałem. I teraz, kiedy się śpieszę, chodzę jak ona, bo często za nią dreptałam.

Idąc na targ, przyjmowała swobodniejszą postawę; na głowie niosła kosz wypełniony przyprawami, ciastem arachidowym, pudrem gombo i starannie złożonymi kawałkami papieru, w który kupującym pakowała produkty.

Babcia trzyma mnie za rękę, towarzyszą nam jeszcze dwie żony dziadka, a ja biegnę pomiędzy nimi. Na bazarze wszystkie trzy ustawiają się w tej samej linii, każda przed swoim starym, drewnianym stołem, na którym rozkładają plastikowy obrus. Miejsca są zawczasu rezerwowane, płaci się dniówkę gminnemu urzędnikowi, którego nazywają *duty*. Zjawia się zawsze pod koniec ranka, żeby zainkasować należności. Trzeba zapłacić bez względu na to, czy coś się sprzedało, czy nie. Stawka jest zawsze ta sama – nie dotyczy dużych stołów. Za małe stoły moich babć opłata wynosi od dwudziestu pięciu do pięćdziesięciu franków CFA*.

Siedzę na ławeczce i pilnie obserwuję babcie. Od czasu do czasu jedna z nich odchodzi, żeby pójść do toalety albo po ryby, bo jeśli połów jest obfity, są znacznie tańsze. Wówczas z dumą zajmuję jej miejsce za stołem. Gdy ktoś się zatrzymuje, muszę najpierw podać cenę, potem przyjmuję pieniądze i wsuwam je pod plastikowy obrus. Sprzedaję nieduże papierowe, przygotowane w domu saszetki, ale jeśli jakiś klient chce kupić masę arachidową, proszę o pomoc którąś babcię, by go obsłużyła; jestem jeszcze za mała, aby obliczyć, ile powinien zapłacić za odmierzoną łyżkami ilość tego produktu. Jeśli jedna z babć musi wcześniej wrócić do domu, a na jej stole pozostał jeszcze towar do sprzedania, druga ją zastępuje i starannie odkłada dla niej pieniądze. W moim domu nigdy nie słyszałam poważniejszych kłótni między żonami mojego dziadka. Żyły w tradycyjnej poligamii, bez konfliktów.

Około południa pakuje się niesprzedane saszetki do kosza, składa starannie plastikowy obrus i odwraca stół do góry nogami. Następnego dnia znowu tu wrócimy. Moje babcie chodzą na targ wtedy, gdy w domu jest nadmiar przypraw. Zebrane na polu produkty zaspokajają w pierwszej kolejności domowe potrzeby. Nie

* CFA = Franc des Colonies Françaises d'Afrique, czyli franki dawnych kolonii francuskich w Afryce. Wprowadzono je w 1945 roku na terenie 14 krajów, m.in. w Senegalu i Mali.

uprawia się pól dla zarobku, tylko dla zapewnienia rodzinie jedzenia. Sprzedaje się więc jedynie przyprawy i masę arachidową; proso i ryż nie trafiają na targ. Zdarza się, że nie ma niczego na sprzedaż, jednak moja rodzina nigdy nie głoduje. Jeśli worki z prosem i ryżem są puste, zawsze, naprawdę zawsze można liczyć na solidarność kobiet z dzielnicy, bez względu na to, czy należą do kasty Wolof, Mandingue, czy kowali; i niezależnie od tego, czy są muzułmankami, chrześcijankami, czy animistkami. W tym właśnie tkwi nasza siła. Podobnie dzieje się w rodzinach mocno ze sobą związanych tradycją, nawet na emigracji. A w tych rodzinach małe dziecko jest księciem. Dzieci powinno być dużo, żeby zapewnić godziwą starość rodzicom i dziadkom. W naszym kraju prócz urzędników państwowych nikt nie ma ubezpieczenia socjalnego, żadnej emerytury, RMI*, trzeba więc samemu zadbać o siebie, zająć się czymś, najlepiej drobnym handlem.

Pewnego wiosennego dnia, wracając z targu około jedenastej, babcia Fouley napełniła wiadro wodą w pokoju na tyłach domu. Chciała się umyć i pójść do meczetu – był właśnie piątek – i nagle upadła na podłogę, tuż przede mną. Byłam z nią zupełnie sama. Zaczęłam głośno wzywać pomocy, płakałam:

– Babcia! Babcia upadła! Szybko!

Dziadek wydawał mi się wtedy bardzo wysoki – miałam około siedmiu lat – mierzył pewnie ze dwa metry i odznaczał się naprawdę imponującą siłą fizyczną.

Podniósł ją jak piórko i zaniósł do swojego łóżka.

– Przestań płakać, daj mi jakieś prześcieradło do przykrycia i zawołaj ciotki.

Zbiegły się wszystkie kobiety, a ja usiadłam obok łóżka. Babcia nie zemdlała; mówi i modli się za mnie.

– Bądź zawsze odważna. Niech dobry Bóg ci pomaga, masz moje błogosławieństwo...

---

* Revenu Minimum Interprofessionnel – zasiłek dla bezrobotnych gwarantowany przez państwo.

Jej głos jest jeszcze jasny i wyraźny; potem modlitwa zmienia się w szept coraz cichszy. Dorośli początkowo przypuszczają, że to zwykłe niedomaganie. Babcia stara się ich uspokoić. I dodać otuchy dzieciom. Moje dwie kuzynki zajęły miejsce u wezgłowia i babcia modli się teraz za nas trzy, za dzieci, które wychowuje. Jednak jej głos stopniowo staje się coraz mniej słyszalny.

– Bądźcie grzeczne i pełne szacunku dla wszystkich, jak byłyście dla mnie; proszę was, żebyście zawsze trzymały się razem, nie rozbijajcie rodziny...

Powolutku jej głos gaśnie, babcia zapada w rodzaj śpiączki. Kobiety zraszają jej czoło chłodną wodą, masują nogi. Cała rodzina zgromadziła się przy niej, żeby czuwać, przygotowywać maści – wszystko, co mogłoby jej pomóc.

Ale na co pomóc? Dlaczego tak nagle upadła, mając zaledwie pięćdziesiąt pięć lat? Nigdy się tego nie dowiem.

Zdarzyło się to w piątek. Nikt nie pomyślał o tym, żeby od razu zawieźć ją do szpitala. W tamtych czasach, a nawet jeszcze dzisiaj, leczenie w Senegalu jest trudno dostępne i sporo kosztuje. Dziadek posłał po naczelnego lekarza regionu Thiès [zresztą naszego wujka], ale nie powiedział posłańcowi, że stan babci jest bardzo poważny, tak więc wuj przybył dopiero późnym popołudniem.

Wydał mi się ogromnie niezadowolony, kiedy z należnym respektem zwrócił się do dziadka:

– Tym razem zabieram ją do szpitala i nie chcę słyszeć żadnego sprzeciwu.

Dziadek nigdy nie korzysta ze szpitala, kiedy dopada go jakaś choroba. A ponieważ jest wyjątkowo odporny, być może dlatego, że pochodzi z Peule i Soninké, tym trudniej mu zrozumieć chorobę innych. Przypominam sobie, że babcia już wcześniej miała kłopoty ze zdrowiem. Chciałam z nią jechać i czuwać przy niej, ale dzieciom nie wolno – chorym mogą się zająć jedynie dorośli. Kiedy kogoś zabierają do szpitala, konieczne jest, aby bliska osoba z rodziny była przy chorym i towarzyszyła mu podczas leczenia.

Bez babci nie wiem, co robić. Tej nocy nie zmrużę oka.

W sobotę wieczorem dwie pozostałe babcie przyjechały do domu taksówką. Krzyczały: Fouley umarła!

Siedzę na progu jej pokoju; ten krzyk już zawsze będzie dźwięczał w mojej głowie. Po raz pierwszy w życiu stykam się ze śmiercią. Babcia Fouley była moją ostoją, punktem odniesienia; mało znam własną matkę, która dość wcześnie oddała mnie pod opiekę babci.

Dziadek wraca samotnie do pokoju; modli się tam dość długo, a potem wychodzi i mówi kobietom, żeby przestały płakać:

– Płacz nic tu nie pomoże, to nic dobrego, płynące łzy są jak ciepła woda lana na jej ciało. Lepiej się za nią pomodlić!

Ta tradycyjna formuła, którą słyszę po raz pierwszy, ma uspokoić szlochające kobiety.

Kompletna pustka. To pierwsza niesprawiedliwość, której jestem świadoma. Dlaczego ona? Babcie doskonale zdają sobie sprawę z rozpaczy mojej i moich kuzynek – trzech małych dziewczynek, które straciły oparcie i ochronę. Starają się nas pocieszać, ale bez większych rezultatów.

Już wczoraj pokój babci stał się pusty i pozostanie taki na zawsze. Czuję tylko tę pustkę, którą na próżno wypełniam łzami. W niedzielę rano przywieziono babcię ze szpitala do domu, bo trzeba bardzo szybko rozpocząć pochówek.

W latach sześćdziesiątych nie ma telefonów; trzeba więc sporządzić listę wszystkich bliskich i przekazać ją państwowej rozgłośni radiowej, która nada to następnego dnia. Każdy członek tej licznej rodziny musi zostać powiadomiony o odejściu któregoś z nas.

Jeszcze dzisiaj w Senegalu z uwagą wysłuchuje się takich ogłoszeń. Czy to będzie minister, prezydent, dyrektor firmy, czy najbiedniejszy wieśniak – każda osoba, która odchodzi, jest tak samo ważna. I cała rodzina – najczęściej bardzo liczna – musi być poinformowana o nieszczęściu.

Słyszałam już takie komunikaty, ale nigdy się nad nimi nie zastanawiałam. Widziałam także kondukty pogrzebowe, idące ulicą obok domu dziadka aż do meczetu. Ale kiedy ma się sześć czy siedem lat, śmierć jest czymś wirtualnym, dotyczy zawsze kogoś innego, wydaje się nierzeczywista.

Tym razem nazwisko babci rozbrzmiewa na falach radiowych, aby oznajmić wszystkim, że Bóg powołał ją do siebie. Słyszę komunikat po południu tej smutnej, wiosennej niedzieli. Już nigdy nie pójdę z babcią w pole, nie będzie nosić mnie na plecach. Od kiedy skończyłam pięć czy sześć lat, zabierała mnie wszędzie ze sobą; czasem podróżowałam na osiołku dziadka, czasem na jej plecach. Miałam swoje dziecięce narzędzie, taką grackę *daba*, którą grabiłam ziemię, wyrywałam chwasty rosnące wokół drzew orzechowych. Ale najczęściej leżałam pod drzewem. Na jednym z pól rosło drzewo kapokowe, na drugim – podobne trochę do akacji, a na trzecim – drzewo o nazwie neem, ogromne niczym baobab, ale o wiecznie zielonych liściach i rodzące bardzo gorzkie owoce, nienadające się do jedzenia. Biegałam po tych polach we wszystkich kierunkach, odpoczywałam pod drzewem, a potem znów pracowałam, nie dłużej jednak niż pięć minut.

– Och, jak jestem zmęczona, babciu...

Jeszcze całkiem niedawno dźwigała mnie na plecach, a dziadek jej powtarzał:

– Chyba oszalałaś, to dziecko ma już siedem lat!

Któregoś razu zostałam potrącona przez rower przed drzwiami domu. Babcia nosiła mnie wtedy na plecach przez cały dzień.

– Jeśli jutro będą bolały cię plecy, to nie narzekaj! – zrzędził dziadek.

Kobiety owinęły babcię siedmioma metrami białego materiału. I tak niesiono ją na noszach do meczetu. Mężczyźni stoją z tyłu, wyprostowani, i modlą się po cichu. Rodzina wyjmuje przepaski na biodra, ceremonialne, świąteczne, tkane ręcznie, którymi przykrywa się ciało zmarłej podczas drogi na cmentarz i potem zabiera je tuż przed złożeniem do grobu.

Dziadek przyniósł trochę piasku z grobu i jedna z kobiet nam powiedziała:

– Wy trzy włóżcie ten piasek do waszego wiadra, nalejcie wody i zroście nią ciało.

Po tym obrządku znów zakrywa się głowę babci przepaskami, które pozostaną tak aż do grobu. Znacznie później wytłumaczono mi sens tego rytuału: niech ból przeminie, niech nie prześladują nas koszmary, ale nie możemy zapomnieć o zmarłej.

Mieszkająca w Kongo siostra babci nie mogła wziąć udziału w pogrzebie i przyjechała do nas dopiero kilka dni po nim. W Afryce ciało nie może czekać, trzeba je pochować prawie natychmiast. W tej sprawie dziadek był bardzo zasadniczy; nie należy trzymać ciała w domu, nie będzie się urządzać wielkich i kosztownych ceremonii, jak robią to niektóre rodziny, w myśl przysłowia: „Jeśli kogoś tracisz, tracisz także fortunę".

Kiedy ciocia przyjechała, byłam już zapisana do szkoły. Ciotka po kilku tygodniach musiała wracać do domu ze swymi córkami, mymi dwiema kuzynkami. I uznała za rzecz zupełnie naturalną, że ja także pojadę, żeby z nimi zamieszkać; przecież to jej rodzona siostra wychowywała nas trzy, było to więc coś w rodzaju zmiany warty. Babcia Fouley rozpoczęła nasze wychowanie, a jej siostra, zgodnie z tradycją, miała je dokończyć.

Tymczasem po śmierci babci zaczęłam instynktownie szukać schronienia w domu mojej matki, po przeciwnej stronie ulicy. Sytuacja była nieco delikatna: praktycznie ani ojciec, ani matka nie mogli odmówić powierzenia mnie kongijskiej ciotce. W końcu jednak ojciec znalazł rozwiązanie i oznajmił ciotce, że ponieważ jestem zapisana do szkoły, pojadę do niej w przyszłym roku podczas wakacji.

Sądzę, że matka chciała zatrzymać mnie przy sobie, podobnie jak ojciec, który pomimo pracy na kolei był „ojcem – kwoką". Oficjalnie rodzice nie mogli powiedzieć, że nie chcą oddać mnie na wychowanie ciotce, posłużyli się więc szkołą jako pretekstem. Szczególnie matce zależało na tym, aby jej dzieci – zarówno synowie jak i córki – chodziły do szkoły, być może dlatego, że sama była analfabetką. I to mnie uchroniło przed wyjazdem do małego miasteczka położonego osiemset kilometrów od rodzinnego domu, nad rzeką Senegal. Miasteczka bez szkoły, ponadto nikogo tam nie znałam, prócz dwóch kuzynek i młodszego brata dziadka, który od czasu do czasu nas odwiedzał.

Bałam się tam jechać. Chciałam zostać w gronie rodziny, z rodzicami. Babcia Fouley odeszła, ale była jeszcze matka mojej matki. Klan babć zawsze był bardzo solidny; poza tym uwielbiałam dziadka.

Kiedy prosiłam go o drobne, by kupić sobie cukierki, nigdy nie odmawiał, choć czasem przy tym gderał:

– Jeden drobniak! I zmykaj! Myślisz tylko o cukierkach, a wiesz, jak się zarabia pieniądze? Wkrótce będzie posiłek i jeśli teraz najesz się cukierków, w południe nic nie weźmiesz do ust.

Ale zawsze dostawałam pieniążek. Nawet jeżeli odpowiadał: „Teraz nie, przyjdź po południu albo jutro...".

Trzymając pieniądz w garści, wychodziłam z domu i biegłam do sklepu albo do moich ciotek, które przeważnie miały coś do sprzedania: słony lub słodki racuszek, ciasto nadziewane rybą lub mięsem – zależnie od dnia. Sprzedawca dawał mi różne cukierki lub racuszek, który prawie natychmiast pożerałam, schowana w pokoju babci Fouley. Jeśli były ze mną inne dzieci, rąbałam cukierek kamieniem na dwie lub trzy części i dzieliłam się tymi okruchami. Pięć centymów płaciło się za jeden cukierek lub czasem dwa. W sezonie owocowym za tę samą sumę dostawałam jedno albo dwa mango. Mogła też być pomarańcza, którą obierałam ze skórki i dzieliłam na cząstki; ale z owocem mango nie mogłam tak zrobić, myłam go więc, dokładnie wycierałam i każdy gryzł po kolei.

– Och, nie gryź tak dużo...

Gryźliśmy tak aż do pestki, a ją samą lizaliśmy, żeby nic się nie zmarnowało. Pamiętam, że babcia Fouley trzepała nas za to po karku:

– Dosyć już tego dobrego, wyrzuć pestkę, wystarczy... A teraz umyj usta i ręce!

W tym domu była moja ławeczka. Moje symboliczne miejsce w rodzinnym kręgu. Babcia królowała w moim życiu, pełna miłości – dla mnie było to niezwykle ważne. Ubierała mnie według swojego gustu, myła, czesała, zaplatała warkocze. Potrafiła spędzić całe popołudnie na zaplataniu moich warkoczyków. Prała moje ubrania, prasowała. Zawsze byłam czysta i dobrze ubrana. Babcia była bardzo dokładna, wszystko musiało być porządnie poukładane, na swoim miejscu, w wielkim pokoju, gdzie we trzy z nią mieszkałyśmy. Stały tam dwa łóżka z ręcznie uszytymi materacami z rafii. Ja spałam razem z babcią, a moje kuzynki na drugim łóżku. Rano po przebudzeniu słyszałam:

– Idź umyć buzię, nie mówi się dzień dobry przed umyciem ust!

Edukacja była rzetelna, czystość obowiązkowa, tak jak szacunek dla innych.

Takie życie z dwiema kuzynkami w pokoju babci Fouley przestało teraz istnieć.

Dwa lub trzy miesiące zostałam u dziadka. I wtedy wydarzyło się coś, co powinno obudzić we mnie dzwonek alarmowy, gdyż dotyczyło mojej przyszłości.

To ślub mojej najstarszej siostry. Była nastolatką i chodziła jeszcze do szkoły. Wydaje mi się, że tego dnia, kiedy poproszono o jej rękę, poszła sprawdzić wyniki egzaminów, które zresztą doskonale zdała. Kiedy wróciła, dowiedziała się, że ma wyjść za mąż. Ona nie chce, wykrzykuje to głośno i mocno. Ale wychowują nas na przyszłe żony. Kobiety wstają bardzo wcześnie i kładą się późno. Małe dziewczynki uczą się gotować, pomagają mamie i są posłuszne domowemu patriarsze. Każda z nas kochała dziadka; kiedy byłyśmy dziećmi, jadanie z nim było dla nas wielkim zaszczytem. Był bardzo otwarty, czuły, ale kiedy zaczynał mówić, zapadała cisza. Wszyscy mu podlegali i było to widoczne na każdym kroku. Zarówno ja, jak i moje siostry i kuzynki bałyśmy się dziadka, bo kiedy byłyśmy zbyt rozbrykane i niegrzeczne, któraś z kobiet mu o tym donosiła i wtedy następowała kara. Dziadek nigdy za nami nie biegał, doskonale wiedział, że prędzej czy później będziemy musiały wejść do jego pokoju i nie ominie nas lanie.

Dziadek wezwał do siebie moją starszą siostrę.

– Musisz napisać mi list!

W rzeczywistości był to pretekst, żeby z nią poważnie porozmawiać.

Dziadek miał rodzinę we Francji i siostra pisała do nich listy. Moi dziadkowie i matka byli niepiśmienni. Ojciec czytał Koran, znał go na pamięć, był bardzo religijny, pełen szacunku i tolerancji dla innych. Na szczęście matka i ojciec byli przekonani, że ich dzieci powinny się uczyć. Było nas ośmioro i wszyscy uczęszczaliśmy do szkoły, jedni dłużej, drudzy krócej, ale wszyscy otrzymaliśmy świadectwa ukończenia szkoły podstawowej lub gimnazjum. Jedynie chłopcy dochodzili do matury; dla dziewcząt limitem było gimnazjum, po jego ukończeniu rodzice zaraz powinni wydać je za mąż. Moja starsza siostra ukończyła właśnie gimnazjum, bardzo chciała kontynuować naukę, o żadnym ślubie nie chciała nawet słyszeć.

Wchodząc do pokoju dziadka, myśli naiwnie, że będzie pisać list. A on już przygotował „instrument", żeby ją przekonać – pasek. Dlaczego nie chce poślubić tego mężczyzny? Nie wolno mówić „nie"! I uderza ją całkiem na serio. Siostra nie zmieniła zdania, wciąż powtarzała: nie! A jednak musiała poślubić tego pana, którego nie kochała. Byli małżeństwem tylko dwa lata. W tym czasie urodziła córeczkę. Mąż, sporo od niej starszy, miał już jedną żonę i dzieci. Pojechałam z siostrą na jakiś czas do Dakaru. W tamtych czasach, kiedy jedna z sióstr wychodziła za mąż, młodsza jechała z nią, żeby miała pomoc i przy sobie bratnią duszę. Pierwsza żona nie była miła dla mojej siostry. Bawiłam się z dziećmi, ale wszystkim doskwierało ich służbowe mieszkanie – mąż siostry był funkcjonariuszem państwowym. Ten dom nie przypominał naszego: nie było tu podwórka ani drzewa mangowego, w którego cieniu można by odpocząć; czułam się jak w zamknięciu. Dla dziadka i rodziców to małżeństwo było sprawą rodzinną, jak zresztą zawsze. Małżeństwa zawiera się wyłącznie wśród kuzynów, czasem nawet zupełnie blisko spokrewnionych. Nie bierze się pod uwagę sytuacji przyszłego małżonka; najważniejsze, żeby pochodził z tej samej krwi...

Był to czas przemian. Moja matka przeprowadziła się na osiedle Kolei Państwowych w Thiès, bo tam przeniesiono naszego ojca. Kiedy powróciłam z młodszą siostrą, musiałyśmy zamieszkać z drugą żoną mojego ojca w ogromnym, pięknym budynku w stylu kolonialnym. Mama nie była w najlepszych stosunkach z drugą żoną ojca, ale dzięki jej spokojnemu i łagodnemu charakterowi nie dochodziło do większych konfliktów. Biura kolei znajdowały się dosyć blisko; dworzec także. Dobrze nam się tam żyło. Ojciec przebywał teraz częściej w domu i mógł bawić się z córkami. To było źródłem naszej radości. Ciemne momenty życia, z którymi się zetknęłam: obrzezanie i śmierć babci Fouley, wydawały mi się bardzo odległe. Ale czułam, że matka nie była szczęśliwa. Mieszkaliśmy niezbyt daleko od domu dziadka, jakieś dwanaście lub piętnaście kilometrów, i chodziliśmy tam pieszo. Jednak wspólne życie wraz z drugą żoną [w języku *soninké* nazywamy ją *Téhiné*], do której nie czuła żadnej sympatii, było dla niej ciężką próbą. Chyba wtedy zaczęłam rozumieć, że poligamia jest dla kobiet ciężka do zniesienia; niektóre znoszą to lepiej – inne gorzej. Być może druga żona chciała mieć mojego ojca na własność, a z pewnością pragnęła tego moja matka. Przykład moich babć, które żyły ze sobą w wyjątkowej harmonii i traktowały nas, dzieci, jak własne potomstwo, nie przygotował mnie do tego, czego teraz byłam świadkiem. Poligamiczna tradycja w Afryce miała przyczyny swego istnienia, może ma i obecnie, ale kto najczęściej płaci za nią wygórowaną cenę? Kobiety.

Pewnego dnia moja młodsza siostra powiedziała mi, że bardzo ją boli brzuch. Przez trzy następne dni czuła się coraz gorzej. Miała wtedy dziesięć lat. Tego trzeciego dnia matka poszła na targ, a ponieważ stan małej wciąż się pogarszał, ojciec zabrał ją do lekarza. Szpital znajdował się tuż obok; ojciec był funkcjonariuszem państwowym i dzięki temu mieliśmy możliwość leczenia się.

Kiedy matka wróciła z targu, postawiła koszyk i od razu poszła do pokoju. Spytała mnie:

– Gdzie jest twoja siostra?

– Zabrali ją do szpitala.

Wyszła z domu i pobiegła do kliniki, żeby być przy niej. Kiedy przybyła na miejsce, powiedziano jej, że dziecko zostało przewiezione do Dakaru. Moja mała siostra pozostała w nim dzień lub dwa i umarła. Nie wiem, z jakiego powodu. Jej odejście przepełniło czarę mojej goryczy. Zaczęłam nienawidzić ludzi, za jej śmierć miałam pretensję do całego świata. W tym wielkim, kolonialnym domu zawsze bawiłyśmy się razem. A ponieważ stosunki między moją matką i drugą żoną nie były dobre, każda z nich pilnowała, żeby dzieci nie miały ze sobą kontaktu. Moja siostrzyczka umarła i dom zapełnił się płaczącymi ludźmi.

Zabrakło zabaw i radosnych krzyków. Zawsze po zakończonej modlitwie, po zachodzie słońca, wychodziłyśmy z siostrą pobawić się jeszcze trochę przed domem. A teraz przed tym domem pozostałam zupełnie sama.

Pewnego dnia matka powiedziała:

– Wracaj do pokoju, teraz nie ma już nikogo, z kim mogłabyś się bawić.

Ogarnął mnie ogromny smutek. I począwszy od tego momentu, zaczęłam coraz bardziej zamykać się w sobie. Śmierć tego dziecka była niesprawiedliwa. Chorowała trzy dni na tajemniczą gorączkę i umarła! Dlaczego? Co się takiego wydarzyło? Nikt nam nic nie wyjaśnił. U nas istniało takie fatum, że otaczano tajemnicą wszystko, co dotyczyło chorych. To było straszne; traciło się kogoś bliskiego, nie wiadomo dlaczego. A rodzice powinni wiedzieć. Szpital na pewno znał przyczynę śmierci. Czy lekarze uznali, że rodzice są za mało wykształceni, żeby zrozumieć ich tłumaczenia? Nie wiem.

Jakiś czas później opuściliśmy piękny dom w stylu kolonialnym. Mój ojciec znowu został przeniesiony służbowo, tym razem do Dakaru, moja matka wróciła do swojego rodzinnego domu obok dziadka.

A ja rozpoczęłam naukę w szkole!

Na początku kursu przygotowawczego byłam uczennicą dosyć roztrzepaną, chaotyczną i niewiele pojmowałam. Uczenie się francuskiego w wieku siedmiu lat stanowiło dla mnie naprawdę dużą trudność.

Mieliśmy nauczycielkę, która nas terroryzowała. I chociaż dzisiaj nie pamiętam nazwiska, nadal widzę jej twarz i ubrania. Prawdziwa Senegalka, majestatyczna w tunice *boubou*, nawet nie była odpychająca, ale wyjątkowo złośliwa. Gdy uczeń nie przygotował się do lekcji, szczypała go boleśnie długimi paznokciami kciuka i palca wskazującego. Szczypała w uszy, aż do pokazania się krwi. Nie przypominam sobie, żeby kiedykolwiek się śmiała. Naukę traktowała tak śmiertelnie poważnie, że dla wielu z nas jej lekcje były traumatycznym przeżyciem. Kiedy dziewczynka zjawiała się w szkole w poniedziałkowy ranek z potarganymi włosami, pani rozkazywała:

– Wracaj do domu. Przyjdziesz na lekcje, kiedy zapleciesz włosy!

Nawet uczesane, ale niezaplecione włosy bardzo jej się nie podobały. Dziewczynka musiała mieć warkocze, żeby porządnie wyglądać. To był rok 1968, liceum znajdowało się prawie naprzeciwko naszej szkoły. Pamiętam strajk, rozruchy i bijatyki między uczniami a policją. Rzucali kamieniami, które przelatywały na szkolne podwórko; jeden z nich wpadł przez okno prosto na mnie i trochę krwawiłam. Widziałam, jak jakiś policjant się przewrócił i dostał mocne lanie. To była prawdziwa rewolucja: licealiści biegali z wrzaskiem, ciskali kamienie i coś wykrzykiwali. Nie rozumiałam nic z tego, co się wokół mnie działo. Czego właściwie żądali? Nie wiem. W Europie rozpoczął się Maj 1968!

Kiedy do szkoły przyszedł nauczyciel, który okazał mi więcej zainteresowania, od razu zaczęłam lepiej się uczyć i bez trudu zdałam do szóstej klasy.

Dwa ostatnie lata pracowałam bardzo solidnie właśnie dzięki temu genialnemu nauczycielowi. Uczniów było wielu, a niewielu nauczycieli; ten mój pracował również w liceum. Kiedy spotykał moją matkę, zawsze ją pytał:

– Co słychać u mojej dziewczynki?

To on nauczył mnie, że nie należy awanturować się w szkole, bo nie jestem takim „niedorobionym" chłopcem, lecz dziewczynką. A ja biłam się z chłopakami aż do gimnazjum. Uprzykrzali mi życie, zwłaszcza jeden chciał „ mnie skroić", co w slangu oznacza zabieranie słabszym różnych rzeczy. W tamtych czasach nikt jeszcze nie używał tego terminu, ale system działał tak jak dzisiaj.

– Daj mi to!

Kawałek chleba, racuszek, owoc – wszystko mogło być przedmiotem „krojenia", pogróżką, gdybym nie ustąpiła, a ja nie chciałam ustąpić. Reagowałam słownie; kłótnie były na porządku dziennym. Matka często powtarzała:

– Gdybyś w szkole była taka mocna w gębie, uczyłabyś się o wiele lepiej!

Pewnego dnia, podczas kolejnej próby szantażu, chłopak zagroził:

– Pamiętaj, dzisiaj wieczorem cię spiorę, gdy wyjdziesz ze szkoły!

– To się jeszcze okaże!

Nie dałam niczego po sobie poznać, bo jeśli chłopak zobaczy, że się boisz, to już po tobie. Będzie dawać ci wycisk codziennie. I chociaż miałam solidnego stracha, udawałam, że w ogóle się nie boję. I postanowiłam, że będzie to ostatnia potyczka, z której wyjdę zwycięsko. Nie wiem, skąd wzięła się we mnie ta siła i determinacja.

Był ode mnie starszy i silniejszy, chociaż chodziliśmy do tej samej klasy.

Powiedziałam sobie: „Muszę wymyślić jakiś podstęp, żeby nigdy więcej mnie nie zaczepiał".

W domu mieliśmy zawsze pełno różnych przypraw, mocno doprawionych pieprzem; dodawało się je do ryżu. Były też zielone mango. Po namyśle postanowiłam wziąć je ze sobą. Jeśli mnie znajdzie i zaatakuje, rzucę mu to w oczy.

O czwartej trzydzieści wychodzę ze szkoły, przy wyjściu czekają na mnie jego koledzy i uprzedzają:

– On cię dzisiaj zmasakruje. Zabije cię, zobaczysz!

Chociaż trzęsę się jak liść na wietrze, nie mogę tego okazać. Jestem z grupą koleżanek; boją się tak samo jak ja. Byłyśmy „mocne w gębie" – jak powiadała moja matka – ale nic poza tym.

On szykuje pięści, skacze dookoła mnie niczym bokser przed przystąpieniem do walki. Trzymam ręce na plecach i nic nie mówię. A on kontynuuje swój taniec, krąży wokół mnie i wyzywa najgorszymi wyrazami; zachowuję względny spokój, ale odpowiadam na wyzwiska.

– Jeśli jesteś mężczyzną, to podejdź, zamiast tu podskakiwać.

Nagle wyciągam pudełko i zawartość rzucam mu prosto w twarz.

Na szczęście niewiele dostało mu się do oczu, jedynie odrobina. Ale i tak pieprz zrobił swoje: chłopak zaczął krzyczeć. Jakaś pani, która mieszkała naprzeciwko, przyszła, żeby zobaczyć, co się dzieje. Szybko przetarła mu oczy i trochę mnie zbeształa. Potem zwróciła się do chłopców:

– Dobrze wam tak! Wciąż zaczepiacie dziewczynki, więc może to was nauczy, że trzeba zostawić je w spokoju! A ty? Nie wiesz, że ta dziewczyna pewnego dnia może zostać twoją żoną i matką twoich dzieci? Ciągle uprzykrzacie im życie, a przecież to wasze przyszłe żony! I przyszłe matki waszych dzieci! Należy się im szacunek! Jeśli nie nauczysz się szanować dziewczynki, nigdy nie będziesz miał żony.

*

Po raz pierwszy w życiu usłyszałam kobietę, która tak strofowała chłopców, mówiła o należnym dziewczynkom szacunku, i oczywiście byłam bardzo dumna. Ale zaatakowany chłopak, obrażony i wściekły, nie chciał niczego słuchać.

– I tak jutro spiorę ci gębę, nie ma o czym mówić.

– Dla mnie sprawa jest już załatwiona!

Postanowiłam pójść do wychowawcy; poradził mi, żebym udała się do rodziców mojego prześladowcy i wszystko im wyjaśniła.

– Jeśli cię dotknie, to go ukarzę, a jego rodzice także.

Po lekcjach w południe poszłam prosto do jego matki. A ta mi powiedziała:

– Dziękuję ci, moje dziecko, już ja się nim zajmę! Nie martw się, nie będzie ci więcej dokuczał.

Kiedy wrócił do szkoły, rzucił mi prosto w twarz:

– Tchórz, kłamczucha! Po co poszłaś do moich rodziców?

– Żebyś się ode mnie odczepił. Miałam dać się pobić i nic nie mówić?

W tamtych czasach podobne postępowanie przynosiło efekty. Rodzice woleli nie mieć problemów z cudzymi dziećmi, więc domowe kazania i kary skutkowały. Pieprz także. Po tej potyczce chłopak się uspokoił i niedługo potem zostaliśmy dobrymi kumplami. Dużo ze sobą rozmawialiśmy, a kiedy nie rozumiałam jakiejś lekcji, zawsze zwracałam się do niego o pomoc. Miałam jedenaście, może dwanaście lat i fantastycznego nauczyciela, dzięki któremu stałam się niezłą uczennicą, znacznie spokojniejszą. Bardzo się zmieniłam, kiedy zaczęłam uczęszczać na zajęcia teatralne. Graliśmy sztukę, taką baśń afrykańską, której tytuł można przetłumaczyć: *Coumba, która ma matkę, i Coumba, która nie ma matki*.

Próby mieliśmy co wieczór. Do grupy należało kilka dziewczynek z mojej dzielnicy, a także kilku chłopców. Reżyserem był ojciec jednej z dziewcząt, w owym czasie mojej najlepszej przyjaciółki. On właśnie wpadł na pomysł stworzenia zespołu teatralnego. To był cel, bardzo dla nas ważne zajęcie, które stało się naszą pasją. Sztuka przedstawiała okrucieństwo złej macochy. Jedna Coumba miała matkę, a druga Coumba była sierotą. Zła macocha kazała jej ciężko pracować, podczas gdy jej własna córka myślała tylko o przyjemnościach. Trochę taki *Kopciuszek* w stylu afrykańskim. Przygotowywaliśmy się do wystawienia tej sztuki przez wiele miesięcy. Tak bardzo spieszyło mi się ją zagrać! Miałam dwie różne role; brałam także udział w innym przedstawieniu, opartym na bazie arabskich piosenek, z bębenkami i tańcami. Rola ta sprawiła mi ogromną radość, oddawałam się jej całym sercem. W końcu zaczęliśmy występować w kilku miejscach w mieście. Mieliśmy nawet wyjechać ze spektaklem za granicę, do Mauretanii. Rodzinny dramat pokrzyżował moje plany.

Miałam wtedy trzynaście lat i moja matka była w ciąży. Niedługo miała rodzić. Tego dnia przygotowałam posiłek, ryż i wszystko, co trzeba, spieszyłam się. Około czternastej skończyłam i miałam wyjść, ale matka poprosiła, żebym została w domu.

– Nie wychodź dzisiaj, wieczorem zrobisz kolację, nie czuję się zbyt dobrze.

Powiedziałam „tak", chociaż nie zamierzałam być posłuszna. Wzięłam prysznic, a kiedy usłyszałam tam-tamy, wymknęłam się z domu i z koleżanką pobiegłam obejrzeć muzyków. Kiedy wróciłam, słońce już dawno zaszło; matka była bardzo zmęczona.

– Prosiłam, żebyś nie wychodziła. Czekałam na ciebie, a potem musiałam sama przygotować posiłek.

Poszła się pomodlić, zasłabła i straciła przytomność.

Bardzo się wykrwawiła, zanim zawieziono ją do szpitala. Siedziałam przed domem i rozmawiałam z koleżankami, kiedy ulicą przejechał ambulans na sygnale. Nawet nie przyszło mi do głowy, że jest w nim moja matka, że wiozą ją z Thiès do Dakaru na ostry dyżur. Dziecko w jej brzuchu było od dawna martwe i trzeba było przeprowadzić natychmiastową operację, żeby zachować matkę przy życiu. Pozostała na oddziale reanimacyjnym prawie cztery miesiące i nie mogliśmy do niej pojechać, dopuszczono do niej tylko mojego ojca. To nie była moja wina, chociaż mnie prosiła, żebym nie wychodziła z domu; moja starsza siostra często mnie beształa, że zamiast jej słuchać, wolę chodzić do koleżanek naprzeciwko, do domu państwa Mandingues.

– Nie skończyłaś zmywania, zamieć podwórko, poskładaj to, zrób to, zrób tamto…

Kiedy udawało mi się wymknąć, dwie minuty później już mnie znalazła.

A gdy mówiłam o teatrze, zrzędziła:

– Czy w ogóle się zastanawiasz, że twoja matka jest w szpitalu, a ty chcesz się bawić w teatr?!

Czułam się wszystkiemu winna, bo mama omal nie umarła. Kwadrans dłużej jazdy karetką do Dakaru i nie miałabym matki. Ta myśl długo tkwiła w mojej głowie. Straszliwe poczucie winy było dla mnie traumatycznym przeżyciem. Zwłaszcza że pewnego dnia, kiedy matka przebywała w szpitalu od dwóch miesięcy, a ja byłam w domu dziadka, usłyszeliśmy przeraźliwe krzyki; pomyśleliśmy wtedy, że umarła. Ale to były krzyki pewnej starej kobiety, którą syn podczas domowej kłótni potraktował jak wariatkę.

Jednak w tamtej chwili tak myśleliśmy.

Codziennie modliłam się do dobrego Boga, żeby mama nie zmarła w szpitalu. Ojciec starał się mnie pocieszać.

– Nie martw się, ona z tego wyjdzie. Bóg jest miłosierny.

Moi wujkowie, ciotki, wszyscy w dzielnicy przekonywali:

– Skoro stwierdzono jej zgon, a ona nie umarła, to znaczy, że na pewno wyzdrowieje.

I wreszcie mama wróciła do domu w dobrym stanie. Byłam w szóstej klasie gimnazjalnej, kiedy nadszedł list z Francji. Zły list. Zawierał oświadczyny złożone przez jednego z nieznanych mi kuzynów. A ja byłam ostatnią osobą na świecie, która chciałaby wyjść za mąż. Miałam zaledwie trzynaście lat i sześć miesięcy.

Pięścią w głowę

To moją siostrę wzywano do powtórnego zamążpójścia, chociaż dopiero co rozwiodła się z mężczyzną, którego nie kochała; była mężatką zaledwie dwa lata, a teraz mieszkała z nami wraz z maleńkim dzieckiem. Ale miała status kobiety rozwiedzionej, a tym samym prawo do odmowy, i to właśnie uczyniła. Poinformowała o tym naszą matkę i ciotkę:

– Spotkałam kiedyś tego kuzyna w Dakarze, był tam ze swoją pierwszą żoną, wiem, że mieszka we Francji. Powiedziałam „nie", a tata nie nalegał.

Mój ojciec dobrze wie, że rozwiedziona kobieta jest wolna i może decydować o swoim losie. Nie ma już nad nią władzy, żadnego prawa, by narzucić jej męża, którego nie chce. Natomiast ja…

Kilka dni później ojciec wzywa mnie do swojego pokoju. On siedzi na łóżku, a naprzeciwko niego babcia, matka mojej matki. Staję grzecznie obok niej.

– Khady, jest taki kuzyn we Francji, który pragnie cię poślubić, czy się zgadzasz?

Niespodziewanie nie wyrażam swego niezadowolenia. We wspomnieniach ta scena jawi mi się jako coś kompletnie nierealnego. Dzisiaj mi się wydaje, że nie zdawałam sobie sprawy z tego, co dla mnie szykowano.

Ponadto byłam wychowana w taki sposób, że nawet nie przyszło mi do głowy, żeby cokolwiek powiedzieć. Ojciec pyta o zdanie swoją córkę jedynie dla formy – jest religijny, tolerancyjny, Koran naucza go, że powinien zadać takie pytanie, ale jest to pytanie retoryczne, dla zasady, nie oczekuje ode mnie żadnej odpowiedzi.

To babcia odpowiada w moim imieniu przysłowiem w języku *soninké*:

– Nawet gdybyś włożył ją do dziury węża, ona w to wejdzie.

– Bardzo dobrze, usłyszałem.

Dziewczynki w moim wieku chodzą jeszcze do szkoły, mają oczywiście prawo do różnych zajęć pozaszkolnych – ja mam na przykład teatr – ale w tamtych czasach ich podstawowym zadaniem edukacyjnym było niewątpliwie znalezienie męża. I oczywiście musi to być „kuzyn". Takie jest nasze przeznaczenie. Dlatego nie do pomyślenia jest, by odpowiedzieć „nie".

Ojciec wykonał swoje zadanie, dopełnił wszelkich formalności. Wola została wyrażona. Gdybym jakimś przypadkiem albo w przypływie zwykłego buntu powiedziała „nie", spowodowałoby to wielkie zamieszanie w rodzinie, plotki i mnóstwo gadania i małżeństwo, być może, nie doszłoby do skutku. Jednak wcale nie miałam takiej pewności, więc nawet nie otworzyłam ust.

Nie byłam już małym dzieckiem, ale jeszcze nie „dorosłą" nastolatką; stanę się nią, jeśli dadzą mi na to czas. Grałam w teatrze, miałam jakieś niewinne flirty w rodzaju: „Miniemy się niby przypadkiem, w drodze na targ lub gdzie indziej, damy sobie znak. Albo spotkamy się u sąsiadki, spojrzymy na siebie i powiemy sobie dzień dobry". Patrzyłam na chłopców jak wszystkie moje rówieśniczki w dzielnicy.

Dziewczyny spotykają się co wieczór u którejś koleżanki, piją herbatę ze starszymi braćmi i kolegami. Wychowywaliśmy się razem, chłopcy i dziewczęta, ale starsi bracia nie mieli nad nami szczególnej władzy. Miał ją jedynie patriarcha, a także kobiety; to oni przewodzili tym stadkom dzieci i ponosili za nie odpowiedzialność. Szacunek był obowiązkowy. Moje „flirty" ograniczają się do wymiany spojrzeń i niczego więcej. Jak na całym świecie afrykańskie dziewczynki marzą o spotkaniu księcia z bajki... Bracia są autorytetem dla najmłodszych, ale nie dla rówieśników.

Niestety! Kiedy dziewczyna zaczyna miesiączkować, a jej piersi stają się widoczne, rodzice uważają, że jest już gotowa do zamążpójścia. I życzą sobie tego jak najszybciej, bojąc się, że zajdzie w ciążę jeszcze przed ślubem. Nie traktują wieku dojrzewania jako niezbędnego do przeżycia etapu, podczas którego dziewczyna osiąga pełną dojrzałość fizyczną i psychiczną i staje się osobą dorosłą. Chodzę jeszcze do szkoły, mam dopiero niewiele ponad trzynaście lat i opuszczam pokój ojca, nie odczuwając niczego szczególnego.

Czy powiem „tak", czy „nie" – zawsze wyjdzie na jedno: po prostu trzeba przez to przejść. Moja starsza siostra już zapłaciła cenę za wymuszone małżeństwo: dwa lata wspólnego życia z obcym sobie człowiekiem, który w dodatku zaczął nią poniewierać. Pewnie, że chciałabym znać przyszłego męża; pragnęłam być zdobywana, zapraszana na randki, do kina czy restauracji – marzenie każdej młodej dziewczyny. Ale jeśli zapytasz inne kobiety o małżeństwo z nieznanym kuzynem, odpowiedź jest zwykle taka sama: „Pokochasz go później!".

Zaczynam się zastanawiać, czy na skutek odmowy mojej siostry ten kuzyn z Francji postanowił zainteresować się właśnie mną? Być może nawet uległ sugestii moich rodziców...

Tradycja wymaga, aby mężczyzna mieszkający daleko prosił swoją rodzinę o wyszukanie mu żony w rodzinnym kraju. W tej sytuacji chodzi o ciotecznego brata [syn brata mojego ojca], który zwrócił się do wuja z prośbą o znalezienie odpowiedniej kandydatki. Tak więc pewnie będę to ja.

Wychodzimy z babcią z pokoju bez emocji, jakby nie zdarzyło się nic ważnego; taka rodzinna formalność, nic ponadto. Moja matka jest w kuchni z siostrą. Zabieram się do domowych obowiązków, tego dnia mam zamieść cały dom. Podczas pracy w ogóle nie zaprzątam sobie tym głowy. Kiedy sprawy przybiorą konkretniejszą postać, zacznę się zastanawiać.

A przecież przypadek mojej siostry powinien zmusić mnie do myślenia. Także historia kuzynki, która dokonała skandalicznego, ale jakże niesamowitego wyczynu! Pewien mężczyzna poprosił o rękę jej starszą siostrę. W tamtych czasach siostra ta nie ośmieliła się powiedzieć „nie”, tylko spakowała swoje rzeczy i pojechała do ciotki. Rodzice zrobili wszystko, żeby jej miejsce zajęła młodsza córka, by zaplanowany ślub się odbył. Ale młodsza nie chciała, bo miała chłopaka! Pomimo jej odmowy rodzice zorganizowali wielką ceremonię i oto została oficjalną małżonką. Już nie protestowała. Wieczorem przed nocą poślubną rodzice, według ustalonego zwyczaju, umieścili ją w pokoju weselnym, w którym miało się odbyć skonsumowanie związku. Odczekała, aż zostanie sama, i zanim nadszedł mąż, aby dokonać aktu defloracji, wyszła przez okno i po prostu uciekła!

Te historie wcale mnie nie zaalarmowały, chociaż przecież bardzo dobrze je znałam.

Tylko że mamy opowiadają nam o podobnych zdarzeniach w taki sposób, by dobrze zapadły nam w pamięć, kładąc nacisk na to, że dziewczyna, która mówi „nie”, nie ma racji.

– Dziewczyna, która odmawia poślubienia mężczyzny wybranego przez jej rodziców, potem trafia na złego męża! Bo rodzice zawsze wyszukują dobrego! Nigdy złego!

W wieku trzynastu lat nie mogłam oddzielić wychowania od tradycji i moich własnych pragnień. Wszystkie moje koleżanki marzyły o wyjściu za mąż i musiałam sobie powiedzieć, że ja będę pierwsza...

Kilka dni po tym „spotkaniu" w pokoju nieznany kuzyn w dalekim kraju otrzymał odpowiedź, że być może wkrótce będzie miał narzeczoną. Ojciec prowadził jednocześnie konsultacje ze swoimi pozostałymi w kraju braćmi, bo sam, bez ich zgody, nie mógł podjąć decyzji o wydaniu córki za mąż. Na tym właśnie polega system patriarchalny: to oni zatwierdzają wybór. Gdyby jakiś kuzyn z sąsiedniego miasteczka wydał się im bardziej interesujący, zaczęliby negocjacje. Ale w moim przypadku tak się nie stało.

Babcia, matka mojej matki, i pozostałe kobiety nareszcie czują się szczęśliwe, bo mają już konkretne zajęcie: trzeba przygotować ślub! Wielka sprawa dla kobiet. Mężczyźni „świętują" ślub w meczecie, we własnym gronie, ich obecność w domu wcale nie jest konieczna. Przygotowania poprzedzające uroczystość ich nie dotyczą. Dowiedziałam się później, o wiele za późno, że moja matka nie zgadzała się na to małżeństwo. Ale nigdy nie ośmieliłam się zadać jej tego pytania, nie znam więc przyczyn tej niechęci. Może się obawiała, że małżeństwo zawarte w bliskiej rodzinie skończy się fiaskiem tak jak związek starszej córki. Matka kochała swojego męża, mówiono mi o tym, zresztą było to widać. Być może o tym samym marzyła dla swoich córek, ale czyniła to w tajemnicy.

Po kilku tygodniach specjalny kurier z Dakaru przywozi następny list, który zawiera zadowolenie z odpowiedzi. Kurier dostarcza również pieniądze na zaręczyny. Taki jest obyczaj. Teraz sprawy zaczynają przybierać poważny obrót. Matki zbierają się w pokoju, ale nie mam pojęcia, o czym rozmawiają. Mnie nikt nie pyta o zdanie. Wiem tylko, że nadeszła wiadomość i została dobrze przyjęta. Wszelkie uzgodnienia prowadzone są za pośrednictwem kuriera, który tradycyjnie należy do kasty, zajmującej się łączeniem dwóch rodzin, czyli przyszłego męża i mojej. Nikt nie załatwia tego bezpośrednio, byłoby to źle widziane. Kurier musi spotkać się z rodziną mojego męża, uzgodnić posag, a następnie go dostarczyć. Wszystko to odbywa się na ogół dosyć szybko i zależy od negocjacji. W moim przypadku chodzi o małżeństwo zawierane w kręgu rodzinnym, przyszły mąż jest bratankiem mojego ojca, więc negocjacje nie trwały długo. Pewnego pięknego dnia wracałam spokojnie do domu od wspólnego kranu – dziesięć minut pieszo w jedną stronę – na głowie miałam miskę pełną wody i beztrosko śmiałam się z koleżankami, kiedy nagle zauważyłam między dwoma wyjściami, że przyjechali z Dakaru kuzyni mojego ojca. Ucieszyłam się, że rodzina zebrała się w komplecie, i niczego nie podejrzewając, poszłam znów po wodę. Kran komunalny to zwyczajowe miejsce spotkań dziewcząt i obecnie znajduje się w każdej dzielnicy. Stoi się w kolejce, w której nieraz dochodzi do drobnych sprzeczek, częściej jednak rozlega się śmiech, bo teraz jest łatwiej niż kiedyś, gdy trzeba było wyciągać wodę z publicznej studni, szorstki sznur wrzynał się w ręce, a na jego końcu chybotało ciężkie wiadro... Ale była też zła strona tej nowoczesności: woda nie miała należytego smaku! Zapach, miękkość nie mogły się równać z wodą ze studni mojego dziadka. A kiedy jej brakuje i kran zostaje zamknięty, sprzedawcy wody, zwłaszcza Maurowie, korzystają z okazji, żeby wyśrubować ceny.

Przy trzecim nawrocie wpadam na ojca, który każe mi przerwać pracę, wziąć prysznic i odpowiednio się ubrać. Nie pytam, dlaczego, tego się nie robi; odstawiam posłusznie miskę na miejsce. Nie widzę w tym niczego niepokojącego, przecież rodzina przyjechała z wizytą. Mama przygotowywała w kuchni posiłek. Idę więc pod prysznic, ubieram się, wychodzę z pokoju i w tym momencie babcia ze strony matki pojawia się w drzwiach.

– Siadaj! I nie ruszaj się stąd!

I zostawia mnie samą.

Ze sposobu, w jaki to powiedziała, wnioskuję, że dzieje się coś ważnego. Ojciec, bracia i kuzyni byli w meczecie na modlitwie o siedemnastej; przypuszczałam, że musieli tam rozmawiać o zaręczynach. I nagle, kiedy tak siedzę samotnie, koleżanka mojej starszej siostry wpada do pokoju, podbiega do mnie i lekko uderza mnie pięścią w głowę!

Zgodnie z tradycją, kiedy dziewczyna wychodzi za mąż w meczecie, inne panny na wydaniu przepychają się do niej, aby stuknąć ją pięścią w głowę. Ta, która zrobi to pierwsza, potem pierwsza wyjdzie za mąż. Panna młoda w amerykańskim filmie rzuca swój bukiet, a dziewczyny starają się go złapać. U nas jest to uderzenie pięścią w głowę.

I nagle zaczynam rozumieć. To już koniec: wydali mnie za mąż w tym meczecie. Uderzenie pięścią jest tego najwymowniejszym znakiem.

Siedzę sama w pokoju jak idiotka, milcząca, niezdolna do żadnej reakcji wobec oczywistości mojego nowego statusu. Mężczyźni wracają z meczetu. Wszyscy przychodzą zobaczyć się ze mną, mówią, że przynoszę honor całej rodzinie, akceptując to małżeństwo, które sam Bóg mi wyznaczył, że modlą się, aby związek był trwały i dobrze się w nim działo, by przyniósł wiele dzieci; niech towarzyszy mu szczęście i oby żaden zły umysł nie mógł go zmącić…

Każdy mówi mniej więcej to samo, bez szczególnego wzruszenia czy czułości. To po prostu zwykły rytuał.

Należę do dobrze wychowanych dziewczynek, które niczemu się nie sprzeciwiają. Moje siostry i kuzyni przybiegają z gratulacjami. Starsza siostra jest teraz zajęta w kuchni, przedtem mnie nie uprzedziła, nie ostrzegła. Przecież nie powiedziałam „nie"… Wszystko jest więc w porządku.

Tak mija wieczór. Parę minut później mężczyźni przynoszą z meczetu orzechy kola, te małe, gorzkie kulki, które rozdaje się wraz z pieniędzmi wszystkim matkom i ciotkom. Moja matka i jej siostry dostają swoją część posagu, który zabiorą do własnych rodzin, jak choćby orzechy kola, na znak, że ślub odbył się jak należy, w meczecie. Ale w rodzinie nie był jeszcze uroczyście obchodzony. Zorganizowanie takiej uroczystości wymaga czasu. Rytuał w meczecie jest pewnego rodzaju formalnością dla należących do rodziny mężczyzn. Jedni mówią: „Prosimy o rękę waszej córki dla tego i tego", a inni odpowiadają: „Dajemy ci rękę pod następującymi warunkami…".

Warunki zależą od zaakceptowanych uprzednio negocjacji.

Ślub w meczecie polega na danym słowie. Nie ma żadnego rejestru, żadnych zapisów. W każdym razie tak było w tamtych czasach. Dlatego mężczyźni robią, co chcą, bo prawo w Senegalu nie wtrąca się do spraw religii. Administracja państwowa zajmuje się jedynie prawną regulacją stanu cywilnego. W rezultacie jeszcze dzisiaj tak wiele afrykańskich kobiet nie ma żadnych dokumentów! W moim kraju kobieta nie zmienia nazwiska, zatrzymuje panieńskie. A w razie rozwodu o rozpadzie związku tak samo decydują mężczyźni należący do rodziny. Mąż musi tylko w obecności trzech świadków powtórzyć trzy razy, że to już koniec. I naprawdę jest koniec!

Rozwód wydaje się więc sprawą dość łatwą. Jeśli małżonek nie chce się wypowiedzieć, bo nie życzy sobie, żeby żona go opuściła, lub ma zamiar gnębić ją w jakiś inny sposób – wkraczają rodzice i to oni wygłaszają zdanie: „My zawiązaliśmy to małżeństwo i my je teraz rozwiązujemy".

Tradycja zwyczajowego małżeństwa, w którym dziewczyna nawet nie uczestniczy, jest wirtualna i niezwykle trudna do zaakceptowania. W oczach innych jestem „mężatką", ale nie we własnych! I nadal żyję tak jak przedtem, jedynie jestem mocniej i surowiej trzymana i pilnowana niż dotychczas. Szczególnie przez babcie.

– Ani się waż zbliżyć do jakiegoś chłopca! Nie dotykaj ich! Nie wolno ci z nimi rozmawiać!

Kiedyś uwielbiałam chodzić do ciotki, która ma samych synów. Jeden z nich bardzo mi się podobał i wiem, że ja też mu się podobałam. Babcia ze strony matki także o tym wiedziała.

Mama nie chciała, żebym wychodziła z domu wieczorami. Ale zawsze znajdowałam sposób, żeby się wymknąć. Byłam małą diablicą, przebiegłą i sprytną, lecz nie robiłam nikomu nic złego. To był rodzaj gry: czmychnąć z domu, polecieć do koleżanek i kolegów, żeby trochę pogadać. Nie byłam jednak głupia.

Pewnego wieczoru jestem właśnie u tej ciotki – zebrała się cała banda przyjaciół i gawędzimy sobie w pokoju chłopców – gdy słyszę nagle, że ktoś mówi ciotce: dzień dobry! Głos mojej babci! Nie widzę innego wyjścia jak wślizgnąć się pod łóżko; wszyscy chłopcy wychodzą z pokoju z obojętnym wyrazem twarzy, pod inkwizytorskim spojrzeniem babci.

– Czy jest tu Khady?

– Nie! Nie ma.

Ale babcia z niejednego pieca chleb jadła i dobrze wie, że chłopcy kłamią. Wchodzi do pokoju i nie widzi w nim nikogo; niestety, musiałam zbyt głośno oddychać, bo nagle podnosi w górę prześcieradła.

– Wychodź stamtąd!

– Nie robię nic złego! Tylko rozmawialiśmy…

– Wyłaź! Zmykaj! Wracaj do domu. Nie jesteś wolna, nie możesz robić, co chcesz, ani chodzić, gdzie chcesz. Jesteś mężatką, czyjąś żoną, musisz być rozważna i szanować siebie; nie wolno ci spotykać się z chłopcami!

To spotkanie było dla mnie zupełnie niewinne, choć nie bez małej prowokacji. Przypuszczam, że trudno mi było pożegnać się z radościami wieku młodzieńczego, zwłaszcza że jeszcze się on na dobre nie zaczął. Kiedy przebywałam w gronie koleżanek, zupełnie zapominałam o ślubie. Ale babcia czuwała, żebym pamiętała. Bo w rodzinie była kuzynka, która miała dziecko, nie będąc mężatką. A to wielki dyshonor mieć z kimś dziecko i być zaręczoną z innym.

W sierpniu 1974 roku, gdy zbliżają się moje czternaste urodziny, znów pojawia się rodzinny kurier. Nie przyjeżdża specjalnie po to, żeby mówić o ślubie czy małżeństwie, ale by przekazać różne nowinki. Ten jest z kasty szewców i kiedy przyjeżdża, żeby powiadomić rodzinę na przykład o pogrzebie, zwraca się zawsze do patriarchy rodu, nigdy do kobiet czy młodych wujków. Tego dnia pożartowaliśmy sobie z nim trochę, bo jest bardzo sympatyczny i lubi się powygłupiać.

– Hej, ty, kurier, co nam przywiozłeś? Mamy nadzieję, że dzisiaj są to same dobre wiadomości. Nie ma zwłaszcza mowy o żadnym pogrzebie!

Poszedł prosto do mojego ojca. Kiedy ojciec ma gościa, domownicy się oddalają, nikt nie zostaje, żeby posłuchać. Wróciłam więc do swoich zajęć. Pół godziny później ojciec każe zawołać babcię, mamę i ciotkę – wszystkie kobiety w domu. Wychodzą od niego mniej więcej po trzydziestu minutach. Widzę, że są zaaferowane, o czymś żywo dyskutują. Jak zwykle nikt mi nic nie mówi; o złej wiadomości dowiaduję się później.

„Mąż" wczoraj wieczorem przyjechał z Francji, teraz jest w Dakarze, ślub i skonsumowanie małżeństwa muszą się odbyć jak najszybciej, bo on nie ma za wiele czasu. Przyjechał na miesięczne wakacje i podczas tego miesiąca musi się ożenić i odwiedzić swoją rodzinę w odległym miasteczku; sama podróż zajmie mu co najmniej dwa dni... Ustalono zatem, że ślub odbędzie się w przyszły czwartek, a dziś jest poniedziałek. To pilna sprawa. Kobiety są niezadowolone.

– To za szybko! Za szybko!

Uważają, że należało je uprzedzić co najmniej dwa, trzy miesiące wcześniej. Ten chaotyczny pośpiech jest brakiem szacunku dla nich i dla pracy, jaką muszą wykonać. Przygotowanie ceremonii zaślubin naprawdę wymaga wysiłku. Trzeba zawiadomić resztę licznej rodziny, przygotować wyprawę. Na szczęście z wyprawą można trochę poczekać, bo to mężczyzna, który przyjechał z Francji i wkrótce do niej powróci; wyprawę pokaże się później rodzinie, taki jest zwyczaj. Wyprawa składa się z masy przyborów kuchennych, ubrań, materiałów, przepasek do utkania i uszycia w ręku, co jest niezwykle czasochłonne. Na zakończenie wszystkich ceremonii należy pokazać posag rodzinie męża. Takie „normalne" wiano kosztowało pewnie w tamtych czasach około siedmiuset euro. Dla rodziny to prawdziwa fortuna. I wiele dziewcząt pracuje na to całymi latami. Pieniądze, które przekazuje przyszły mąż, niewiele poprawiają sytuację; zostają rozdane rodzinie – każdy dostaje swoją część.

W moim przypadku te pieniądze są naprawdę symboliczne. Mój ojciec powtarzał: „Nie sprzedaję moich córek". Dziadek pod tym względem miał jeszcze sztywniejsze poglądy. „Nie wydaje się pieniędzy na głupoty, zbyt ciężko jest je zarobić".

Babcia surowym tonem ogłasza kolejne zakazy:

– Od tej chwili nie wolno ci ani na chwilę opuścić domu. Będziesz robić to, co masz do zrobienia, ale tu, w domu, nie wychodząc na zewnątrz!

Koleżanki jeszcze mnie odwiedzają, ale nasza radość gdzieś się ulotniła. Jestem zamknięta, zakleszczona i coraz bardziej nerwowa. Pozostają mi tylko cztery dni...

W tym czasie codziennie wieczorem przychodzą do mnie koleżanki: tańczymy, śpiewamy, wygłupiamy się, gadamy głupstwa; one w ten sposób dają mi do zrozumienia, że już nie należę do ich klanu: jestem teraz w gronie kobiet zamężnych.

Trzeciego dnia przychodzi ciotka; ma zadanie symbolicznie sprawdzić „stan mojej cnoty".

– Jesteś siebie pewna? Jeśli nie jesteś pewna, masz mi to natychmiast powiedzieć!

– Jestem siebie pewna.

U nas słowo się liczy. Nie przeprowadza się brutalnego, ohydnego sprawdzania, czego doświadczają jeszcze kobiety w innych krajach. Żadnego badania, żadnego zakrwawionego prześcieradła, wywieszanego po nocy poślubnej niczym trofeum na środku miasteczka. Jednak dziewictwo pozostaje bardzo ważne, a pilnowanie dziewczyny przynosi efekty. Trzeba być dziewicą. Koniec. Kropka. Uważałam czasem, że moja matka była zbyt surowa podczas okresu zaręczyn.

– Widzisz tę linię? Jeśli ją przekroczysz, utnę ci nogę.

A przecież, od kiedy zaczęłam miesiączkować, moja wolność została ograniczona. Właśnie wtedy zaczęłam być strzeżona znacznie pilniej niż przedtem.

– Za dużo chodzisz! Dlaczego tyle chodzisz? Młoda dziewczyna powinna siedzieć w domu. A ty cały czas gdzieś latasz, to do jednej, to do drugiej koleżanki.

– Ale przecież spotykam się tylko z koleżankami i kolegami, których znam od zawsze!

– Nadchodzi taki czas, kiedy dziewczyna powinna pozostać w domu.

Rzeczywiście, według tradycji młoda dziewczyna nie może wychodzić. Ale w tej dzielnicy wystarczyło tylko przejść przez ulicę, by znaleźć się w domu którejś z koleżanek, więc nie widziałam w tym nic złego czy godnego potępienia. Moja matka w zasadzie też nie, ale dla niej była to podstawowa zasada, norma, której musiałam się poddać. A kiedy nie znała jakiejś koleżanki, denerwowała się:

– Kto to jest? Znasz wszystkich w mieście, a ja tu się wychowałam, w tym mieście wyszłam za mąż i nikt mnie nie zna. A ciebie wszyscy znają! Ciągle gdzieś latasz!

Wszystkich znałam, bo wszędzie chodziłam i wsadzałam swój ciekawski nos. A to było źle widziane.

Kobiety rozpoczęły przygotowania. Trzeba znaleźć wielkie garnki, kupić ryż, proso i barany. Bliżsi i dalsi krewni powoli zaczynali się zjeżdżać z Dakaru i innych części kraju. Lokowali się w domu i brali się do pracy. Niektórzy mieszkali w wielkim domu dziadka, kiedy u nas brakło miejsca. Sąsiedzi z przeciwka też przyjęli kilka osób. Zjechało się istne morze ludzi! Krewni z tej samej kasty co my przebywają u nas cały dzień, wstają o świcie i przygotowują jedzenie dla tej ciżby.

W czwartek jest wielkie święto. Po raz pierwszy zdaję sobie sprawę, co mnie czeka, i w gronie koleżanek zalewam się łzami. Płaczę z wielu powodów, pomieszanych, poplątanych; nie dlatego, że mam opuścić rodzinę, to nie wchodzi w rachubę. Mąż wróci do Francji i nie boję się rozstania, przynajmniej na razie...

Płaczę przede wszystkim dlatego, że nie ma tu babci Fouley, która mnie wychowała. A tak bym chciała, żeby teraz była blisko mnie, radosna w dniu mojego ślubu. Odeszła siedem lat temu, ale zamieszkała w moim sercu i wciąż tam jest. Zawdzięczam jej szczęśliwe dzieciństwo i wychowanie. Otrzymałam od niej wiele miłości, nauczyła mnie szacunku, godności i prawości. Tak bardzo mi jej brakuje. Boję się.

Nigdy nie widziałam tego mężczyzny, nie mam pojęcia ani jak wygląda, ani ile ma lat. Powiedziano mi jedynie, że miał już żonę i rozwiódł się kilka dni temu. Zdaje się, że jego żona zaszła w ciążę „bez jego udziału"; przebywała w innym mieście, a on nie odwiedzał jej od kilku lat. To był powód rozwodu. Ale ta wiedza wcale mnie nie pociesza. Kiedy pojawia się ciotka, ja nadal płaczę. Nadszedł czas depilacji. Żyletką, taką samą straszliwą żyletką, z którą zetknęłam się w wieku siedmiu lat. Nie ma jeszcze odpowiednich produktów, żadnych wosków, muszę sobie z tym jakoś poradzić. Mężczyźnie należy dać kobietę dziewiczą pod każdym względem, oczyszczoną ze wszystkiego. Czystą na duszy i ciele, to znaczy pozbawioną wszelkiego owłosienia, które rośnie niepożądanie pod pachami i w dole brzucha. Są ze mną koleżanki, we wszystkich garnkach coś się gotuje, baran jest już zarżnięty. Dom wypełniają trzaski i inne odgłosy. Nie mam nic innego do roboty, muszę się tylko ogolić.

– Chcesz, żeby ci pomóc?

– Dziękuję, ciociu, zrobię to sama.

To przeklęte ostrze przywołuje wspomnienia. Prawie nie ośmielam się dotknąć pewnych miejsc. Drżę, trzymając w ręku maszynkę z żyletką, która niegdyś mnie pocięła. Ostrze jest nagie, wręcz diaboliczne; źle się do tego zabieram, niedokładnie wykonuję zadanie, tak bardzo trzęsą mi się ręce. Trudno, radzę sobie, jak potrafię. Nie mogę się przełamać, by poprosić o pomoc, to zbyt intymne, zbyt straszne i przerażające.

Na zewnątrz kobiety tańczą i śpiewają, a mną w tym czasie targają różne emocje: czuję się nieswojo, jestem wystraszona, a jednocześnie naiwna i niewinna. Trochę dumna, ponieważ zaraz wyjdę za mąż i będę musiała zachowywać się jak dorosła, jak prawdziwa kobieta... Dodaję sobie otuchy, ale kobiety nie dają mi czasu do namysłu, przychodzą co pięć minut i wyśpiewują pochwały na moją cześć: niech zjawi się tu czarownik i opowie o odwadze moich przodków ze strony ojca i matki... Wszystkich rozpiera duma, odnoszę wrażenie, iż oddaliby całe posiadane złoto, tacy są ze mnie dumni.

Nie pozwalam sobie na rozważanie, co mnie czeka potem, nie przywołuję obrazów nocy poślubnej, o której nie mam zresztą żadnego pojęcia. Tak jak nic nie wiem o przyszłym mężu.

Modlę się, żeby był miłym człowiekiem, z którym mogłabym robić wspólnie wiele rzeczy. Zastanawiam się, czy będziemy mieli samochód, czy będziemy wychodzić wieczorami do kina albo żeby zjeść *chawarma*, grecką lub libańską kanapkę i lody w waflowym rożku. Kiedy jest się dzieckiem, kupuje się lody po pięć czy dziesięć centymów, prawdziwe lody w rożku kosztują o wiele drożej. A może będzie tak szlachetny, że pozwoli mi pomagać rodzicom i ich życie stanie się lepsze. Czy da mi pieniądze, żebym mogła sobie kupić biżuterię, eleganckie ubrania i prześliczne buty? O tych sprawach rozmawiałyśmy z koleżankami podczas uroczystości poprzedzających ślub, kiedy widziałyśmy pięknie ubrane mężatki. „Widziałaś jej pierścionek? Mam nadzieję, że pewnego dnia będę miała taki sam... A jej tunikę?... Może pewnego dnia..."

Młoda dziewczyna nosi długie spódnice, tuniki i coś prostego, małego na górze, lecz żadnych przepasek, jak mężatki. Miałam niewiele srebrnej biżuterii, która została mi po babci. Nie pochodzę z biednej rodziny, ale też nie za bogatej. Natomiast mężatki noszą złotą biżuterię, którą otrzymują po ślubie albo dziedziczą po rodzicach.

Zamknięta w pokoju wraz z koleżankami, noszę teraz na włosach małą białą przepaskę. Po południu przychodzi kobieta, żeby zapleść mi do ślubu włosy według ściśle określonych przepisów: duży warkocz na górze, dwa okalające twarz i jeszcze dwa na karku. Podczas zaplatania tam-tamy biją coraz głośniej, matki tańczą i śpiewają. Może dlatego, żebyśmy nie myślały, co nastąpi potem.

Po obiedzie, gdy się już wszyscy wytańczą i wyśpiewają, i po wieczornym jedzeniu – około północy lub godzinę później, spotkam mojego męża w ślubnym pokoju. On tu już jest wśród innych mężczyzn, ale jeszcze go nie poznałam i nikt mi nie wskaże, który to, bo nie powinnam zobaczyć przyszłego męża przed ślubem. W małych miasteczkach, kiedy narzeczona przypadkiem znajdzie się koło „narzeczonego", natychmiast się ją ukrywa. On także nie powinien widzieć jej przed ceremonią.

W każdym razie nie muszę ruszać się z pokoju. Stopniowo zaczyna coraz większy ciężar przygniatać moje barki: boli mnie głowa, na nic nie mam ochoty – ani na jedzenie, ani na picie. Właściwie boli mnie dosłownie wszystko. I jest to bardziej psychiczne niż fizyczne odczucie. To lęk przed tym, co mnie czeka, obawa przed zbliżającą się nocą. Bo tej nocy będę miała fizyczny kontakt z mężczyzną.

Mam nadzieję, że nie okaże się brutalem. Słyszy się czasem od mężatek, że niektórzy mężczyźni zachowują się grubiańsko pierwszej nocy. Ale jeszcze nikt nie ujawnił, że panna młoda nie była dziewicą. Gdyby nawet tak było, jej rodzina trzymałaby to w tajemnicy, a zwłaszcza mąż. Kobiety opowiadają, że po poślubnej nocy niekiedy młoda mężatka leży chora w łóżku przez wiele dni. Wiem, że „to" będzie bolesne. Wiem, że będę krwawić. I właśnie nadchodzi ta godzina.

Do pokoju wkraczają ciotki i wypraszają koleżanki, bo muszą mnie przygotować. Udzielą mi niezbędnych rad, które dotyczą tylko mnie, nikogo więcej. Te rady są względnie proste: jak używać rozmaitych perfum lub nowego wiadra do mycia. Tego dnia wszystko jest nowe: białe tuniki, *boubou*, chusta i welon z gazy.

Matkę widzę rzadko, ma sporo zajęć przy gościach. Przyszła sprawdzić, czy właściwie zapleciono mi warkocze, i znikła w tłumie. W pewnym momencie rzuca w moją stronę niespokojne spojrzenie, wręcz pełne strachu. O czym myśli? Jestem w tej chwili, jak to się u nas mówi – „dziewczyną w pokoju". Może matka myśli teraz o tym, że wprawdzie jestem silna fizycznie, ale za młoda psychicznie. No i stawia sobie najważniejsze pytanie: czy jej córka jest dziewicą?... Ona, tak jak wszystkie matki, aż do ostatniej chwili o to się boi.

Żadna kobieta nie uprzedza, że obrzezana dziewczyna może mieć poważne problemy podczas pierwszych kontaktów seksualnych, a nawet w późniejszym życiu. A przecież same przez to przeszły i dobrze wiedzą, co czeka ich córki. Ale o tym nie mówią. Tak więc niczego nie podejrzewam.

Wyprowadzają mnie z pokoju z tradycyjnym ceremoniałem. Biorą mnie za ręce i prowadzą na sam środek podwórka; przy mnie są dwie kobiety, inne podążają za nami, śpiewając, krzycząc jujujujuju... i klaszcząc w dłonie.

Na środku podwórka sadzają mnie na wielkim moździerzu, który służy do mielenia prosa; teraz postawiony jest do góry dnem. Obok stoi nowe wiadro napełnione wodą i mała tykwa. Do wiadra kobiety włożyły różne rośliny i perfumy, kadzidełka zaś ustawiły z drugiej strony. Z włosów zdejmują mi chustę, potem tunikę i zostaję z nagim torsem, tylko w przepasce. Teraz trzeba symbolicznie przygotować moje ciało do „poświęcenia". Skrapiają mi włosy i śpiewając, nacierają mnie perfumowaną wodą. Jestem jak lalka w ich rękach; trwa to dobre dwadzieścia minut. Potem mogę ponownie włożyć *boubou*, nowe tuniki, pachnące wonnymi kadzidełkami; białe, symbolizujące moją dziewiczość i dokonane przed chwilą oczyszczenie. Jeszcze tylko przepaska, obszerna i dosyć ciężka, po czym idę w kierunku pokoju weselnego; głowę mam przykrytą welonem.

W domu nie ma już miejsca z powodu dużej liczby gości, dlatego ten pokój przygotowano po drugiej stronie ulicy u zaprzyjaźnionych sąsiadów. Jest to małe, wąskie pomieszczenie o nagich ścianach, tak niewielkie, że na podłodze jest miejsce tylko na jeden materac. Przykrywa go białe prześcieradło, jest też moskitiera. Kobieta, która mnie tu przyprowadziła, wychodzi; zostaję sama.

Bardzo możliwe, że w tej chwili mój rozum przestał działać. Zupełnie jakbym nie chciała pamiętać tego, co stało się w tym pokoju. Wiem tylko, że on tam wszedł, ale nie chciałam na niego patrzeć i nie zdjęłam welonu. Zgasił naftową lampę i to wszystko, co utkwiło w mej pamięci. Obudziłam się następnego dnia rano, około czwartej, wraz ze wschodem słońca. Krzyki i śpiewy przed drzwiami wyrwały mnie ze śpiączki, w którą najprawdopodobniej zapadłam. Męża już nie było, wyszedł. Matki i ciotki były szczęśliwe: miały to, czego chciały. A moje koleżanki powiedziały:

– Wielki Boże, twój krzyk! Słychać go było w całej dzielnicy!

Pamiętam ból w tamtym momencie, ale nie krzyk. Ból był tak straszny i gwałtowny, że pogrążył mnie w ciemności.

Niczego nie widziałam, nie słyszałam; byłam nieświadoma własnego życia przez trzy lub cztery godziny.

Znienawidziłam siebie. Staram się zupełnie ignorować tę część mojego ciała, gdzie intymna rana pewnie nigdy się nie zabliźni.

Nieznajomy

Przez cały tydzień pozostaję w izolacji, opiekują się mną ciotki w domu mojego dziadka. Mają zmienić mi przepaski, zabrudzone horrorem poprzedniej nocy, odżywiać mnie lekko, bo muszę pozostać „lekka", nie mam pojęcia, dlaczego; pomagają mi w toalecie. Przez cały ten czas tradycyjnych zaślubin młoda mężatka musi zachować welon i nie wolno jej opuszczać weselnego pokoju – trwa to tydzień. A mąż powraca każdej nocy. Umieszczono mnie teraz w dawnym pokoju babci Fouley, zamienionym specjalnie w pokój weselny, z materacem na podłodze; płakałam, myśląc o niej bez przerwy. Być może właśnie ona uchroniłaby mnie przed tym wszystkim, nie zniosłaby myśli, że mogą siłą wydać mnie za mąż.

W ciągu dnia w pokoju jest pełno ludzi, koleżanki dotrzymują mi towarzystwa; wieczorem pokój wyludnia się i nadchodzi mąż. Czasem zjawia się tu podczas dnia, lecz nie pozostaje długo. Przyglądam się temu nieznajomemu kątem oka, ukradkiem, ale bez zbytniego zainteresowania czy pragnienia, żeby go bliżej poznać. Jest ode mnie starszy prawie o dwadzieścia lat, jestem więc nie tylko nieszczęśliwa, ale także rozczarowana. Oczekiwałam młodego mężczyzny, kogoś, kto będzie bardziej do mnie pasował.

Czwartego dnia moje rozczarowanie pogłębiło się jeszcze bardziej: przyszli do mnie z wizytą koledzy, z którymi występowałam kiedyś w teatrze. I on zrobił mi awanturę. Według niego chłopcy nie mieli tu nic do roboty! Czyżby szanowny pan był zazdrosny? Może nawet mnie kochał... Ale myślę, że raczej był typem zaborczego macho. Jedna z ciotek próbowała go uspokoić.

– Ależ daj spokój, przesadzasz, to są jej przyjaciele; ci chłopcy mieszkają w tej samej dzielnicy, znają się od zawsze i chyba mają prawo tu przyjść, żeby się z nią przywitać!

– To zamężna kobieta! Tym chłopakom nie wolno tu przychodzić i siadać obok niej!

– Zachowaj dla siebie swoją zazdrość! Nie ma powodu do zazdrości!

Zwracał się do mojej ciotki, nie patrzył na mnie, mówił w języku *soninké*, a nie w *wolof*. Moja reakcja była natychmiastowa.

– Przyjaciele mają prawo do mnie przychodzić!

Po raz pierwszy odezwałam się do niego, a on nawet nie odwrócił się w moją stronę.

Ostatniego dnia tego odosobnienia wszyscy mieszkańcy dzielnicy zabierają się do wielkiego prania; zwyczaj nakazuje uprać przynajmniej jedną sztukę ubrania w każdym domu, na przykład przepaskę. Nie wiem, co ma oznaczać ten obyczaj, sądzę, że chodzi o jakąś formę oczyszczenia. Czy pierze się mój umysł czy może duszę?

Tego dnia kończy się ceremonia. Zabija się wołu lub barana. Potem wyprowadzają mnie z pokoju i ubierają w specjalne *boubou*, ręcznie wyszywane, koloru indygo. Staję się inną kobietą, bo mąż bierze w wyłączne posiadanie swoją żonę od chwili, gdy włoży ona to symboliczne *boubou*. Teraz muszę podejść do niego w obecności wszystkich, uścisnąć mu rękę i uklęknąć na znak poddania.

Nadal nic nie czuję do tego nieznanego mężczyzny, może tylko strach i obrzydzenie za to, co mi zrobił. Strach i obrzydzenie pojawiają się każdego wieczoru.

Nie potrafił mnie sobie zjednać, przyjąć do wiadomości, że jestem tylko małą, niewinną dziewczynką, którą powinien wszystkiego nauczyć. Nie okazał się brutalem, ale nie było między nami żadnego porozumienia, żadnej rozmowy, prócz banalnej wymiany zdań typu: Chcesz coś zjeść? A może chce ci się pić? Jego wychowanie nie pozwalało mu jakoś mnie przygotować, oswoić; traktować kobietę inaczej niż jako rozciągnięte na materacu ciało. A przecież mieszkał w Europie, w Paryżu; przebywał jednak w środowisku imigrantów i nigdy się z niego nie wyrwał.

Byłam pogodzona z losem, zrezygnowana; nie mogłam cofnąć czasu. Zaakceptowałam obojętność – to jedyne uczucie, do jakiego byłam zdolna. A skoro i tak miał wyjechać, musiałam po prostu przeżyć tę przykrą chwilę, uzbroić się w cierpliwość, zamknąć oczy i zacisnąć zęby. Za kilka dni będzie musiał zabrać mnie do merostwa, po czym zawieźć do Francji zaświadczenie o ślubie cywilnym i przedstawić je swojemu pracodawcy. Wtedy jeszcze nie zdawałam sobie sprawy, że kłamał: w rzeczywistości chciał skorzystać z prawa do łączenia rodzin. Ożenił się po to, żeby zabrać mnie z mojego kraju! Jego pierwsza żona zdradziła go w rodzinnej wiosce, postanowił, że już więcej nie przeżyje podobnego nieszczęścia. Nie miałam pojęcia, że miał zamiar oderwać mnie od rodziny.

Poszliśmy więc do merostwa. Po raz pierwszy byłam ubrana jak wielka dama; miałam na sobie białe *boubou* i mnóstwo biżuterii, co bardzo rozśmieszyło moje szkolne koleżanki.

Nigdy nie zapomnę oficera z urzędu stanu cywilnego! Gdyby był Białym, pewnie zszarzałby na twarzy z powodu dezaprobaty. Zaczął od pytania o rok mojego urodzenia.

– Tysiąc dziewięćset pięćdziesiąty dziewiąty.

Znieruchomiał na jakieś trzy sekundy, a potem:

– Proszę powtórzyć.

– Tysiąc dziewięćset pięćdziesiąty dziewiąty…

– Bardzo mi przykro, proszę pana, ale ona nie ma prawa być mężatką, nie jest pełnoletnia!

W tamtych czasach w Senegalu dziewczyna osiągała pełnoletność do małżeństwa w wieku piętnastu lat, teraz musi mieć lat osiemnaście.

Chciałam rzucić mu się na szyję, ale nie mogłam! Mojemu mężowi towarzyszy tłumacz mówiący w języku *wolof*. Mąż się sprzeciwia.

– Ależ nie, możemy się pobrać!

Jednak funkcjonariusz nie ma zamiaru ustąpić, nie pozwala, żeby mu przerywano.

– Nie, nie… ona nie jest pełnoletnia, nie może wyjść za mąż.

– Ona już poślubiła tego mężczyznę, jemu chodzi tylko o papiery!

– Przykro mi, ale jest za młoda!

Mąż postanowił użyć magicznej broni w Afryce. Odpowiednim banknotem wszystko można załatwić!

– Dobrze, niech pan go zapyta, o co konkretnie chodzi.

Tłumacz okazuje się niezłym dyplomatą, mówi częściowo po francusku, a częściowo w języku *wolof*.

– A nie można tego jakoś załatwić? Może można coś zrobić?

– Nie wiem, co zrobić w tej sprawie, proszę pana, ale wiem, że ta dziewczyna nie może wyjść za mąż, przynajmniej w merostwie. Żadne prawo w Senegalu nie zezwoli jej na zawarcie ślubu cywilnego i nikt nie wyda takiego zaświadczenia. Jest za młoda!

Nie mam prawa się odezwać, nie mogę ucałować siedzącego po drugiej stronie okienka funkcjonariusza, nie mogę skakać z radości, z ulgi, ale wychodząc z urzędu, czuję się jak wyzwolona. Ten urzędnik zwrócił mi moje dzieciństwo, pomógł zrozumieć, jak bardzo nie byłam gotowa do małżeństwa.

Moi rodzice nie znali tego prawa, nie wiedzieli, że dziewczyna musi mieć ukończone piętnaście lat. Dla nich ślub cywilny był czymś nieistotnym, zresztą nie było ich wiele w tamtych czasach. Liczyła się tylko ceremonia w meczecie. Mój mąż jest zły, tłumacz też, wszyscy są źli prócz mnie i skrupulatnego urzędnika, który dobrze wykonuje swoją pracę.

Oczywiście, w Afryce na wszystko znajdzie się sposób, zwłaszcza w sprawach administracyjnych. Zawsze znajdzie się przyjaciel kuzyna, czyjś wujek, który lepiej zna przystępnego urzędnika w innym urzędzie...

Nadal nie zdaję sobie sprawy, że pewnego dnia będę musiała wyjechać do Francji. Ale już nazajutrz jedziemy do jakiegoś miasta na prowincji i po trzech czy czterech godzinach – chociaż tego nie chcę – udzielają nam ślubu. Naturalnie zmieniono tylko datę zawarcia małżeństwa, jakżeby inaczej! Rok mojego urodzenia pozostał bez zmian.

Mój mąż po krótkiej podróży do rodzinnego miasteczka – w którym również urodził się mój ojciec – położonego w dolinie rzeki, powinien wrócić do Francji. Podczas kilku ostatnich dni jego pobytu w Thiès kłóciliśmy się właściwie codziennie. Chodziło przeważnie o drobiazgi, których nie byłam w stanie znieść, na przykład o to, że mój starszy brat nie miał prawa położyć się na moim łóżku, aby się ze mną powygłupiać.

– Tego się nie robi!

Zazdrość, bez przerwy głupia zazdrość. To ona zatruje nam życie.

Ten człowiek, choć żyje we Francji od 1960 roku, w ogóle się nie zmienił, nie próbował nawet nauczyć się czytać i pisać. Myślał tylko o pracy i zarabianiu pieniędzy; zresztą nie był jakimś odosobnionym przypadkiem. W tamtych czasach było to głównym celem ogromnej większości imigrantów i do tej pory niewiele się zmieniło. Znacznie później zdam sobie sprawę, że imigracyjne społeczności z Afryki, na przykład w Paryżu, żyły w zamkniętym kręgu, a reguły postępowania, a przede wszystkim stosunki społeczne, są mocno powiązane z pieniędzmi.

Żeniąc się ze mną, mój mąż uczynił zadość wymaganym tradycjom. W rodzinnym kraju poślubił kogoś ze swojej rodziny, dziewczynę pochodzącą z Soninké i z jego miasteczka. Rozwiódł się z pierwszą żoną, której się wstydził, a teraz postanowił zabrać ze sobą do Francji dopiero co pozbawioną dziewictwa młodą dziewczynę, która – według imigracyjnej tradycji – „nie przyniesie mu wstydu i będzie podległa", a on w ten sposób odbuduje swoją reputację samca i utracony honor.

Często od imigrantów słyszałam podobne zdanie: „Miałem kłopoty z pierwszą żoną, więc pojechałem do kraju, żeby ożenić się z młodą dziewczyną!".

Uważają, że mogą urobić niewinną nastolatkę na swoją modłę, bo ona nie jest na tyle dojrzała, by się sprzeciwiać.

Mając trzynaście i pół roku, wchodziłam w ten układ, tylko że ja uczęszczałam do szkoły: umiałam czytać i pisać, pozostało mi jedynie nauczyć się myśleć. No i być cierpliwą.

Wreszcie mąż wyjechał, co wielce mnie ucieszyło. Mogłam spokojnie przejść do następnej klasy, wrócić do grona koleżanek i czuć się zwolniona z obowiązków małżeńskich, których się bardzo boję. Coś się we mnie wtedy zablokowało. Będę tego zawsze żałować. Bo przecież miałam okazję zetknąć się z dojrzałymi mężatkami, szczęśliwymi, których życie było marzeniem moim i moich koleżanek.

Ciotka Marie! Niesamowita ciotka Marie! Mam około czternastu lat, kiedy ona wychodzi za mąż za jednego z wujków. Ciotka jest istnym cyklonem energii i sztuki uwodzenia, pięknym przykładem senegalskiej kobiety wyzwolonej.

Jest doskonałym kupcem. Podróżuje między Dakarem a Bamako*, kupuje i sprzedaje różne produkty. To typ kobiety, która dla swojego męża może zrobić dosłownie wszystko. Owszem, jest mu podległa, ale w ograniczonym zakresie i pod pewnymi warunkami. Wychodząc za niego za mąż, ma już za sobą dwa małżeń-

* Bamako – stolica Mali.

stwa i dwa rozwody. W wieku czterdziestu lat jest samodzielna i niezależna. Poślubia mężczyznę, którego uwielbia i który mocno ją kocha. Mieszka we własnym domu, i to on do niej przychodzi. Mąż ma co prawda dwie inne żony, ale ciotka Marie przyjmuje poligamię z beztroską, bo nie musi z nimi mieszkać. To małżeństwo jest zawarte naprawdę z wielkiej miłości.

Kiedy mąż ma do niej przyjść, ona przygotowuje iście królewski obiad. W pokoju unosi się woń porozstawianych wszędzie kadzidełek, a prześcieradła są wykrochmalone. Sama sporządza kadzidła: miesza zmielone ziarna z wodą lawendową. Dodaje do tego mnóstwo pachnideł pochodzących z Arabii, piżma i innych aromatycznych roślin. Kobiety w Senegalu własnoręcznie przygotowują perfumy. Rywalizują ze sobą, przejawiając sporo inwencji, by otrzymać zapach jak najsubtelniejszy, a jednocześnie oszałamiający. Ciotka Marie pochodzi z kasty kowali i nie ma z tego powodu żadnych kompleksów, jak zdarza się kobietom „od czarowników" lub innych. To ogromna różnica między nią a naszą kastą szlachecką. U nas otwarcie nie mówi się o sprawach seksu, a tamte kobiety są wyzwolone i opowiadają o tym bez skrępowania.

Często słuchałam ciotki z ukrycia, kiedy rozmawiała ze starszymi dziewczętami o perfumach, perłach i tunikach, o tym, jak za ich pomocą uwodzić męża lub zainteresowanego mężczyznę.

– Wszystko w domu powinno być czyste i pachnące kadzidełkami. Ale nie należy wpadać w przesadę. Kiedy mężczyzna przychodzi, musisz go uprzejmie przyjąć. Odpowiednio zmienić postępowanie. Oczy powinny błyszczeć, gdy na niego patrzysz. Musisz także wiedzieć, jak mu usłużyć. Najpierw pomagasz mu zdjąć ubranie. Potem przy stole powinnaś usiąść obok niego. Jeśli przygotowałaś rybę, wyjmij ości z przeznaczonego dla niego kawałka. Jeśli zrobiłaś mięso – to mu je pokrój. Jeżeli podajesz kurczaka, podziel go na cząsteczki takie na jeden kęs. Jeśli chodzi o napoje, powinnaś nauczyć się robić różne mieszanki. Na przykład *bissap* [kwiat hibiskusa, czyli chińskiej róży], sok z „małpiego chleba" [owoc baobabu], tamaryn, imbir – trzeba przygotować wcześniej. Dosyp ziół, które nadadzą napojom wyjątkowego, specyficznego smaku: cukru, gałki muszkatołowej, imbiru, kwiatu pomarańczy, ekstraktu z banana lub mango... W tym wypadku kieruj się własnym smakiem i gustem, podobnie jak z kadzidełkami.

Po posiłku nie pozwól mu położyć się przed tobą. Pierwsza ułóż się w łóżku w taki sposób, by zobaczył, że chcesz go należycie przyjąć, że jesteś gotowa. Zostaw tylko niewielką przepaskę na biodrach; przepaska zawsze musi być piękna i mieć naszyte perełki wokół talii. Perły są bardzo uwodzicielskie.

A kiedy wszystko wypadnie dobrze, możesz poprosić go o gwiazdkę z nieba, na pewno po nią pójdzie!

Od czasu do czasu wieczorem ciotka Marie przychodziła z wizytą; zawsze wystrojona niczym królowa, zjawiskowo piękna u boku męża, ubranego w takie same tkaniny jak ona. Ciotka Marie te wspaniałe materiały przywoziła ze swoich podróży; szyto z nich dla niego ubrania pasujące do jej własnych strojów. Wysiadali z taksówki, żeby pozdrowić moją matkę, i jechali do kina.

Właśnie taka para mi się marzyła. Ciotka poruszała się iście majestatycznym krokiem w swoim cudownym *boubou*, z twarzą koloru hebanu, taka piękna i swobodna, zostawiająca za sobą delikatny, niepowtarzalny zapach perfum i kadzidełek. Ale ciotka Marie była również kobietą, która potrafiła powiedzieć podczas kłótni: „Trzymam nóż pod poduszką!" albo: „Nie chcę cię więcej widzieć!".

Pozostałe dwie żony dostawały białej gorączki, bo nie mogły z nią konkurować, nie były tak niezależne, więc automatycznie skazane na uległość, podczas gdy ciotka Marie „nosiła spodnie" w tym małżeństwie. Pewnego dnia, w święto, odnosiła się chłodno do męża, bo się właśnie pokłócili [powiedziała mu: „Nie chcę cię widzieć!"]. Pozostałe żony także brały udział w uroczystości, ludzie tańczyli, tam-tamy wystukiwały tradycyjne rytmy tańca kowali, i wszyscy mężczyźni ruszyli w tany. Kiedy ciotka Marie zauważyła, że jej mąż wstaje, by wziąć udział w tańcu, skierowała się w jego stronę, jak zwykle królewskim krokiem, muskając wszystkich po drodze wspaniałym *boubou*; wystarczył jeden jej ruch, by małżonek natychmiast zaprosił ją do tańca.

Rozległ się ogólny śmiech. Ktoś obok mnie powiedział:

– Ta kobieta przynajmniej wie, czego chce.

Uwielbiałam ciotkę. Nie byłam jednak przygotowana, żeby żyć tak jak ona, i wiedziałam, że nie jestem w stanie. Ona kochała i była kochana, umiała wywalczyć swoją wolność. I na tym polegała między nami ogromna różnica.

U obrzezanych kobiet przyjemność fizyczna jest możliwa, ale w ogóle się o tym nie mówi. Od najwcześniejszych lat wbija się dziewczynkom do głowy, że ta przyjemność jest nie dla nich. Nie tłumaczy się tego w sposób tak otwarty i jednoznaczny, lecz podkreśla się wyraźnie, że nigdy nie należy mężowi mówić „nie", nawet w czasie choroby. Podaje się nam jedynie reguły i nakazy dotyczące męża: „Macie słuchać męża, nie chodzić tam, gdzie on sobie nie życzy, nie spotykać się z przyjaciółkami, których nie lubi, w każdej okoliczności zaspokajać jego pragnienia; jedynie on ma prawo pragnąć, więc tylko on ma prawo do przyjemności".

Tak odbywa się pranie naszych mózgów, odmawia nam się prawa do normalnego życia: twoje ciało nie należy do ciebie. Nic do ciebie nie należy. Miejsce, dzięki któremu moglibyśmy odczuwać pożądanie i rozkosz fizyczną, zostaje okaleczone, by zahamować wszelką naszą ochotę na seks. A kiedy młodziutka mężatka, właściwie jeszcze dziecko, dostanie męża, którego wychowanie i tradycja nie pozwalają na zmiany, to będzie ją traktował jak należący do niego przedmiot, tylko czasem zainteresuje się jej brzuchem, bo w nim poczną się jego dzieci. I nawet mu przez myśl nie przejdzie, że jego samcza seksualność jest przez to smutna i bezbarwna, zredukowana do fizycznego popędu, bez przyjemności, jaką daje obopólna satysfakcja. Dla obrzezanej kobiety jedyną szansą na wyzwolenie się z tych nakazów – zarówno fizycznych jak psychicznych – jest spotkanie mężczyzny uważnego, cierpliwego, a przede wszystkim w niej zakochanego. Ale nawet wtedy nie ma ona prawa do orgazmu; o tym trzeba zapomnieć.

Kiedy wreszcie dotarło do mnie, że będę musiała wyjechać do Francji i zamieszkać z nieznajomym mężem, nie byłam zachwycona. Gdybym go kochała, wyjazd nie byłby tak trudy do zaakceptowania, chociaż w moim wieku nie opuszcza się łatwo rodziny, kraju i koleżanek.

Łudziłam się nadzieją, że ten wyjazd nie dojdzie do skutku i tą nadzieją żyłam przez cały rok.

Mam czternaście i pół roku, kiedy do domu przyjeżdża mieszkający w Dakarze wujek mojego męża. Ma mnie zabrać, by wyrobić mi paszport i zaprowadzić na wymagane szczepienia. Musiałam porzucić naukę w szkole. Rodzice oświadczyli: „Koniec ze szkołą!". I mimo że nauczyciele nalegali, rodzice uznali, że dalsza edukacja nie jest mi potrzebna, bo córka ma zapewnioną przyszłość: męża. Abym się przez ten rok nie nudziła, zapisano mnie na kurs szycia i haftowania.

Na szczęście przez ostatnie dwa lata pobytu w szkole dałam z siebie naprawdę wszystko; nauczyłam się mówić po francusku i pisać w tym języku. Mój mąż utrzymywał mnie w kłamliwym przekonaniu, że we Francji będę mogła kontynuować naukę aż do otrzymania dyplomu; zawsze bardzo mocno to podkreślał. To był klucz do mojej niezależności, bo byłam uczona przez kobiety wyzwolone, które – chociaż tradycyjnie uległe – nigdy nie oczekiwały od swoich mężów, że zapewnią im byt materialny.

Nauczyłam się więc szycia, robienia na drutach i szydełkowania w centrum szkolenia zawodowego, w którym mogłam jednocześnie doskonalić znajomość francuskiego.

W Dakarze wujek zaprowadził mnie do fotografa i na szczepienia, potem do biura paszportów, bo miałam polecieć samolotem. W oczekiwaniu na potrzebne dokumenty wracam do Thiès, jakby specjalnie po to, żeby być przy śmierci mojej babci ze strony matki. Tej, która powiedziała mojemu ojcu, że „przejdę przez dziurę w igle", właśnie nas opuszczała, padając ofiarą choroby, o której znów nikt nam nic nie mówi.

Codziennie rano, kiedy się z nią witałyśmy: „Dzień dobry, babciu, jak twoje zdrowie?", odpowiadała: „Całkiem dobrze! Wiem, że wkrótce umrę, ale wy nadal musicie mieć ze sobą bliski, serdeczny kontakt i słuchać waszych mam".

Poszła do szpitala, żeby już z niego nie wyjść. Dobra babcia Aïsatou prezydowała na moim ślubie, a opuszczała mnie w chwili, kiedy miałam naprawdę stawić czoła temu małżeństwu.

Miała około sześćdziesięciu pięciu lat.

Pod koniec wakacji ten sam posłaniec przybył z Dakaru i powiadomił mnie, że paszport jest gotowy, pozostaje czekać na bilet. Musiałam pośpiesznie przygotować się do wyjazdu. Wtedy, w październiku 1975 roku, mój ojciec przebywał na Wybrzeżu Kości Słoniowej i miał tam pozostać przez kilka miesięcy. Toteż odprowadzają mnie tylko matka i siostry. Nie skaczę z radości, czuję ogromny smutek, że opuszczam rodzinę, dom, w którym byłam taka szczęśliwa. Z drugiej jednak strony chcę wyjechać, bo to oznacza poprawę życia mojej matki. Zamierzam nauczyć się zawodu i pójść do pracy. Tak jak większość senegalskich dziewcząt chcę zarabiać i pomagać mamie, zapewnić jej lepsze warunki bytu i umożliwić zrealizowanie marzenia o podróży do Mekki. Jest to pragnienie każdego senegalskiego dziecka, jeśli pewnego dnia znajdzie na jego spełnienie odpowiednie środki. We wczesnym dzieciństwie byłam bardziej przywiązana do babci Fouley, bo to ona mnie wychowywała, niż do matki; ale kiedy stałam się nastolatką, zaczęłam ją podziwiać i doceniać. A przede wszystkim zrozumiałam jej cierpienia, których nigdy nam nie okazywała. Widziałam w niej naprawdę wielką damę; chociaż była niepiśmienna, robiła, co mogła, żeby posłać nas do szkoły. I za każdym razem, kiedy potrzebowaliśmy nowego zeszytu, a ona nie miała pieniędzy – nabyła go na kredyt. Poświęcała się nam, sobie nie kupowała praktycznie niczego. Nam zapewniała wyżywienie, ubrania, opiekę.

Przygotowała mój wyjazd w trzy dni; kupiła przyprawy, zioła – to wszystko, co mogło mi się przydać w nowym życiu we Francji.

I oto jestem na lotnisku w Dakarze, przed samolotem – metalowym ptakiem, którego widzę z bliska po raz pierwszy. Muszę wejść do środka i wtedy on pofrunie. Muszę przelecieć nad morzami, żeby dotrzeć do celu. Czy na pewno dolecę? Czy ten samolot nie spadnie do morza? Czy ten potężny ptak nie złamie sobie skrzydeł? Powiedziano mi, że trzeba całego dnia, aby dotrzeć do miejsca mojego przeznaczenia. Wchodzę do samolotu z wielką obawą i siadam obok innej młodziutkiej dziewczyny, jeszcze bardziej wystraszonej niż ja. Hałas, drzwi się zamykają, silniki coraz głośniej ryczą... łapię się kurczowo fotela, skulona, przekonana, że oto wybiła moja ostatnia godzina.

Około dziesiątej rano samolot odrywa się od ziemi. Spoglądając z góry na domy, port i morze, znikające powoli w chmurach, zalewam się łzami. Uświadamiam sobie, że to naprawdę koniec, że za późno, by wyskoczyć, uniknąć niepewnego losu. Wiele obrazów przemyka mi przez głowę, jakbym oglądała album ze zdjęciami: szkoła, koledzy i koleżanki; babcie, które już odeszły, ich pieszczoty; dziadek modlący się o mnie i moją podróż; na lotnisku mama i ciotka, które spoglądając do góry na unoszący się w przestworza samolot, z pewnością płaczą, że wyjeżdżam sama, bez niczyjej pomocy. A ja naprawdę jestem sama. Mam czternaście lat i jadę zająć się nieznanym mi domem, nieznanym mężczyzną, do kraju, który widziałam jedynie w telewizji.

Samolot szybuje już w chmurach, kiedy kobieta przynosi nam posiłek. Siedząca obok mnie dziewczyna ze smutkiem przygląda się talerzowi i nie tyka jedzenia.

– Nie jesz?

– Nie. Nie mam pieniędzy, żeby za to zapłacić.

I nagle mój smutek gdzieś się ulatnia i wybucham śmiechem. Wujek wytłumaczył mi przynajmniej jedno, że mogę spokojnie pożywić się w samolocie, bo posiłek jest wliczony w cenę biletu. Jej nikt o tym nie powiedział.

– Ja też nie mam pieniędzy, ale tutaj się nie płaci.

Dziewczyna nie ma pewnej miny, wydaje się nieprzekonana, proszę więc stewardessę, żeby potwierdziła. I sąsiadka zrozumiała, że mówię prawdę.

A właściwie wcale nie chciało się nam jeść, obydwie miałyśmy ściśnięte żołądki. Moja sąsiadka jest młodą dziewczyną z plemienia Peul, w moim wieku i też jedzie spotkać się z mężem, którego nawet jeszcze nie widziała. Żadna z nas nie wie, dokąd tak naprawdę jedziemy. Jej mąż ma na nią czekać na lotnisku, mój także, i to wszystko. Potem gdzieś nas zabiorą. Gdzie? Tajemnica.

Pomyślałam, że gdyby nie przyszedł na lotnisko, byłabym zagubiona, gotowa wsiąść do samolotu wracającego do domu. W afrykańskiej stewardessie, bardzo sympatycznej, musiałyśmy wzbudzać zainteresowanie. A może domyślała się ona celu naszej podróży, bo często do nas podchodziła i pytała:

– Wszystko w porządku? Ty też dobrze się czujesz?

Kiedy czyjś głos oznajmił, że samolot wylądował, na niebie nie było już słońca. To kolejna przyczyna smutku związanego z podróżą; widziałam jedynie szare chmury, zapadała noc. Wczesna październikowa noc pokrywała posępne lotnisko.

Nie powiedziano mi o bardzo ważnej rzeczy. Jeśli nie wiesz, co robić po przyjeździe w jakieś miejsce, postępuj tak jak inni. Jeżeli nie wiesz, dokąd iść, idź za innymi.

Nie miałam pojęcia, gdzie odebrać bagaże, sądziłam naiwnie, że dostaniemy je przy wyjściu z samolotu! Kiedy zobaczyłam, że ich tam nie ma, podążyłam za tłumem.

Oddano mi paszport, dokładnie mi się przyjrzano. Pozwolono mi przejść. Ale moją towarzyszkę zatrzymano, kazano jej czekać. Może nie miała wymaganych dokumentów albo właśnie tam miała spotkać się z mężem. Straciłam ją z oczu. Te wszystkie ruchome schody na Roissy 1* – po raz pierwszy widziałam coś takiego! Nadal szłam za ludźmi. Potem spostrzegłam ruchomy taśmociąg z bagażami. Powtarzałam sobie: „Gdzie jest moja walizka?”. I kiedy ją w końcu zobaczyłam… Co za luksus, to nie ludzie je tu przynosili, przyjeżdżały do nas same! Czegoś się wtedy nauczyłam: Zawsze trzeba robić inteligentną minę, udawać, że wszystko się wie, nawet jeśli nie wie się niczego. Jakiś pan mnie spytał:

– To pani bagaż?

– Tak, tak.

Podał mi walizkę; wzięłam ją i podążyłam za ludźmi. Ten pan mi powiedział:

– Niech pani tam wejdzie, wyjście jest na górze, proszę postępować jak inni.

No więc poszłam. I kiedy znalazłam się na tych ruchomych schodach, zdarzyło się coś, czego się naprawdę nie spodziewałam. Ogarnęła mnie przemożna chęć powrotu do domu, nie chciałam tutaj zostawać. Schody dojechały do końca, postanowiłam zawrócić, zjechać na dół innymi schodami. Na górze stali jacyś ludzie, przywoływali mnie, machając rękami. To był mój mąż i jego dwaj koledzy. Samolot był pełen Afrykanów i białych. Wtedy po raz pierwszy widziałam wokół siebie tylu białych. Spotykałam ich od czasu do czasu, zwłaszcza w Dakarze, ale nigdy tylu naraz. Wrażenie, jakie niegdyś na mnie robili, teraz zaczęło znikać; odkryłam, że to istoty ludzkie podobne do mnie. Ale dlaczego kobiety mają takie piękne, długie, lśniące włosy? A moje są kędzierzawe? To bardzo mnie zafrapowało. I dlaczego biali mają takie długie i wąskie nosy? Największe jednak wrażenie zrobiły na mnie ich oczy. Po raz pierwszy zobaczyłam oczy zielone i niebieskie… Zwłaszcza zielone były dla mnie szokiem. Przemknęło mi przez myśl: „To są kocie oczy”. I bałam się ludzi zielonookich. Kiedy mija się ludzi i patrzy się im w oczy, a oni też tak na nas patrzą – przeżycie jest silne.

---

* Roissy 1 – największe lotnisko paryskie.

Ale w tej chwili nie zastanawiałam się nad różnicą między nami. Czułam się obco. Myślałam: „Co ja tu właściwie robię?". Po raz pierwszy miałam wokół siebie tylu białych, wrzeszczących, rozmawiających. W telewizji pokazują ludzi BCBG, dobrze ubranych, eleganckich, a tutaj, na lotnisku, byli po prostu normalni, zwyczajni.

Kiedy ujrzałam trzech czekających na mnie mężczyzn, uświadomiłam sobie, że już nie mogę się wycofać, że muszę do nich podejść. W mojej pamięci pozostał mi obraz tamtych chwil. Nie uśmiechnęłam się, tylko każdemu z nich uścisnęłam rękę. Pytali, czy miałam dobrą podróż, jak się czuję, co słychać u mojej rodziny. Wyszliśmy z lotniska. Wzięliśmy taksówkę. I tak oto wylądowałam w Paryżu, niedaleko Porte des Lilas.

Integracja

Mieszkam teraz na czwartym piętrze paryskiego budynku, w małym mieszkaniu z sypialnią, salonem i kątem kuchennym, łazienką i WC. To stary, niedawno odnowiony dom. Wprawdzie nie jest to nora, ale ciasny wszechświat, w którym samotność i smutek prowokują mnie do ciągłego płaczu.

W tamtych czasach mój mąż nawet zwierzył się jednemu z kuzynów:

– Jeśli nadal będzie tak ryczała, to ją z powrotem odeślę.

Chyba jednak nie dość płakałam. Mąż wychodzi wcześnie rano i wraca nocą. Prawie wcale go nie widuję. Przez ponad dwa tygodnie nie mam odwagi zejść na dół, na ulicę. Śpię także w dzień albo wyglądam przez okno; dookoła widzę inne budynki i szare otoczenie. Ten mężczyzna nie zrobił ze mnie więźniarki własnego mieszkania, to ja sama się w nim zamykam, bo nie wiem, dokąd mogłabym pójść; nie znam tego świata i nikogo na nim. Może mężowi podobało się, że siedzę w domu, nieruchoma i pasywna, że wcale się nie rozwijam. Po dwóch tygodniach opuszczam więzienie, ale razem z nim; chce, żebym poznała ludzi z jego środowiska.

Sześciu dorosłych mężczyzn stłoczonych w maleńkim pokoju. Powitali mnie po ojcowsku i udzielili kilku rad – według nich najważniejszych, o których powinnam pamiętać.

– Musisz uważnie słuchać swojego męża, on jest tu, we Francji, twoim ojcem i matką. Musisz mu być posłuszna i zawsze prosić o pozwolenie – na wszystko. Nie wychodź sama z domu, nie rozmawiaj z byle kim…

W drodze powrotnej mąż zatrzymał się, żeby kupić mięso w sklepie na parterze naszego budynku. Właściciele sklepu to białe, starsze małżeństwo, widziałam ich po raz pierwszy. Spojrzeli na mnie z sympatią, zwłaszcza ta pani.

– Och, jak to dobrze! Pani mówi po francusku, jak to wspaniale! Bo on nie mówi dobrze po francusku. A tak będziemy mogli sobie z panią porozmawiać; proszę do nas zaglądać, kiedy będzie pani miała ochotę, moje dziecko.

To sympatyczne powitanie dodało mi odwagi. Rzeczywiście od czasu do czasu odwiedzam miłych sklepikarzy, żeby trochę pogadać.

– Musi pani czuć się bardzo wyobcowana i pewnie jest pani zimno!

Ona stara się mnie oswoić, bo siedzę u niej w sklepie na stołku, przyglądam się przechodzącym ludziom, nieruchoma, bezwolna. Pewnego dnia oznajmia:

– Zapomniałam powiedzieć, że dzisiaj rano wstąpiła tu pewna kobieta. Często tu przychodzi. Zawsze mówi dzień dobry, jest bardzo grzeczna… Wy z Afryki wszyscy jesteście bardzo grzeczni! Ona pochodzi z Senegalu, jak pani, mieszka niedaleko. Opowiedziałam jej o pani. Może w jej towarzystwie byłaby pani mniej smutna? Pochodzicie z tego samego kraju, mówicie tym samym językiem…

Kiedy spotkałam tę kobietę godzinę później, podniosłam się ze stołka z nieopisaną ulgą. Nareszcie ktoś podobny do mnie, osoba z moich rodzinnych stron! I w dodatku mówi w języku *soninké*! Siostra.

– Jutro czekaj na mnie w swoim mieszkaniu. Przyjdę po ciebie i razem pójdziemy na targ.

Zaczynam odczuwać przypływ energii. Wstaję bardzo wcześnie i zaraz po wyjściu męża do pracy szybko sprzątam mieszkanie, przygotowuję ryż, bo tylko to on lubi, i wychodzę z domu z nowo poznaną.

Kiedy przedstawiła mi inną kobietę z Dakaru, byłam naprawdę w siódmym niebie. One obie służyły mi za przewodnika i podtrzymywały na duchu. Potem z kolei mój mąż poznał mnie z dwiema paniami z Mali, żonami jednego ze swoich przyjaciół. Wtedy po raz pierwszy zetknęłam się z poligamicznym małżeństwem we Francji. Te kobiety gotowały w ośrodku afrykańskim i zaproponowały, żebym im pomagała, zamiast siedzieć samotnie w domu. Miałam teraz kilka znajomych; trzy z nich pracowały, uważałam je więc za osoby samodzielne. Szybko jednak się przekonałam, że panie z Mali oddawały sporą część swoich zarobków mężowi.

Wyprowadziliśmy się z mieszkania przy Porte des Lilas do jednego dużego pokoju z kuchnią i łazienką; czynsz był tu o wiele niższy. A potem kolejna przeprowadzka w kwietniu 1976 r., znowu do jednopokojowego, mniejszego mieszkania o jeszcze niższym czynszu, niestety bez łazienki. Płaciliśmy sto pięćdziesiąt franków miesięcznie. Nie miałam wyboru, zaszłam w ciążę zaledwie po trzech miesiącach pobytu we Francji. Dostałam plastikową wannę, do której wlewałam wiadro wody i tak się myłam.

W dniu przeprowadzki, kiedy wynosiłam torby ze śmieciami do pojemników na podwórku, usłyszałam, że ktoś mnie woła:

– Hej, ty, nie możesz powiedzieć dzień dobry?

To była Francuzka mieszkająca w tym samym budynku. Widziała mnie wieczorem poprzedniego dnia i powiedziała mi dobry wieczór, ale nie odpowiedziałam.

– Bardzo przepraszam, dzień dobry pani.

W ten sposób poznałam moją francuską mamę! Jest mniej więcej w wieku mojej matki i ma na imię Nicole. Począwszy od tego pamiętnego dnia, przychodziła do mnie codziennie rano, żeby się przywitać. Potem przyprowadziła swojego bardzo uczynnego męża.

– Jeśli będziesz czegokolwiek potrzebować, nie krępuj się, tylko powiedz.

Byłam nieco zaskoczona tym spotkaniem, a zwłaszcza taką uprzejmością. Wtedy nie było tu nas, afrykańskich kobiet, wiele i nigdy, naprawdę nigdy nie odczułam w tej dzielnicy żadnej niechęci czy odrzucenia, najmniejszego choćby cienia rasizmu. Jedynie ginekolog, pani Rosa, która opiekowała się mną podczas ciąży, wyraziła zdziwienie:

– To nie do wiary! Jesteś jeszcze taka młoda! Prawdziwa mała gazela!

Byłam już dosyć dojrzała, potrafiłam gotować, zorganizować dom, byłam w ciąży, ale moje myśli nie wybiegały dalej poza codzienne obowiązki i fizycznie pozostałam jeszcze dzieckiem. Przypuszczam, że podczas pierwszego badania stwierdzającego ciążę zobaczyła bliznę po obrzezaniu, ale nie zadała mi żadnego pytania. Po każdej konsultacji tłumaczyła coś mojemu mężowi, ale on niczego mi nie mówił.

Zresztą w tym czasie nie rozmawialiśmy ze sobą, nie było między nami porozumienia. Żyliśmy razem i przekazywaliśmy sobie niezbędne informacje, nic poza tym. Żadnej wymiany zdań czy zwierzeń. Był moim kuzynem, kimś, kogo trochę znałam, członkiem rodziny, z którym zamieszkałam, nie żywiłam do niego szczególnych uczuć. Ani nienawiści, ani czułości, ani miłości. Nic, oprócz smutnej obojętności. Od czasu do czasu dostawałam wiadomości od mojej rodziny, i teraz także jego, czytałam mu te listy oprócz takich, które czasem przynosił do domu i prosił kogoś innego o ich przeczytanie. Ale nie dociekałam – to była jego sprawa. Do mojej matki się nie skarżyłam, nawet jej nie napisałam, że jestem w ciąży, nie wiedziałam, czy należy ją o tym zawiadomić, czy nie. Kiedy dziewczyna w moim wieku spodziewa się dziecka z dala od rodzinnego domu, powinna o tym powiedzieć czy nie? W Afryce bliskie mi kobiety zorientowałyby się szybko, że jestem w ciąży, pewnie nawet szybciej niż ja sama, i nikt by mi nie zadał pytania o mój stan.

Okres ciąży był dosyć trudny. Miałam nudności, zachcianki na różne rzeczy; jadałam niewiele i źle; nie mogłam przyzwyczaić się do europejskiego jedzenia. Brakuje mi prosa, *tiep** i przypraw z mojego dzieciństwa. Pewnego dnia, kiedy koniecznie musiałam zjeść coś afrykańskiego, mąż zaprowadził mnie do dość odległego sklepu; właścicielem był kupiec z Antyli i miał wszystkie produkty potrzebne do przygotowania kuskusu. Tamtego dnia po raz pierwszy w życiu widziałam padający śnieg; poślizgnęłam się i upadłam ciężko na plecy. Wtedy nie znałam jeszcze słowa „śnieg" i napisałam do matki: „Z nieba padał lodowy deszcz".

Było mi smutno i zimno; na szczęście mała wspólnota lokatorów naszego budynku promieniowała prawdziwym ciepłem. Wspólnotę tę tworzyli: mama Nicole i jej mąż, małżeństwo Tunezyjczyków, pewna Hiszpanka, jeszcze inna Francuzka z dwiema córeczkami i starsza pani, którą wszyscy nazywali Babcią. Mimo swoich lat zawsze była wystrojona i umalowana, w białej sukience. Jej okno wychodziło na wejście do budynku. Babcia widziała wszystkich wchodzących i wychodzących. Była już na emeryturze i nigdy nie traciła humoru. Znalazłam w niej prawdziwą babcię, tyle że o białej skórze; babcię, która często się śmiała i lubiła żartować. Na mojego męża mówiła Bamboula**. To nieznane słowo bardzo mnie śmieszyło. Wtedy Nicole pokazała mi niewielkie, kupowane w młodości książeczki, ozdobione reklamami Banania... Odkryłam w nich karykatury czarnoskórej społeczności, rysowane przez białych; dla nich byliśmy wszyscy Bamboula, a oni dla nas Toubabs – określenie pojawiło się podczas kolonizacji.

---

* *Tiep* – potrawka z ryżu i ryb, narodowe danie w Senegalu.

** *Bamboula* – po francusku oznacza: murzyński bęben.

Dla mnie Toubabs to wspólnota etniczna, wspólnota białych. Określenie to nie jest ani pejoratywne, ani pogardliwe; po prostu słowo jak każde inne. W tym czasie, kiedy przyjechałam do Francji, nie znaczyło niczego złego ani złośliwego. Ludzie ci darzyli nas szacunkiem, mówiliśmy sobie dzień dobry, jak należy, wzajemnie świadczyliśmy sobie drobne usługi. Nicole i Babcia zwracały się do mnie po imieniu. Mogłam się im zwierzyć, chociaż tego nie robiłam, one jednak dobrze wiedziały, że naprawdę potrzebowałam pomocy, aby zaadaptować się w nowym środowisku i w miarę dobrze znieść ciążę. One uważały mnie jeszcze za dziecko, a w moim rodzinnym kraju byłam już kobietą i wkrótce miałam zostać matką. W tamtym okresie nikogo o nic nie prosiłam, może z powodu wpojonej mi w dzieciństwie skromności, dumy czy wręcz nieufności, bo mimo że wszystkie mówiłyśmy tym samym językiem – francuskim – to jednak różniłyśmy się dziedzictwem kulturowym i tradycjami. Taka na przykład Babcia nie mieszkałaby u nas sama, zamknięta w swoim mieszkaniu, bez dzieci, które mogłyby jej pomóc. Solidarność i szacunek są u nas bardzo ważne. Nie widzi się babć chodzących samotnie po ulicy, dźwigających zakupy, babć, którym nikt nie pomaga. To była jedna z pierwszych rzeczy, która zaszokowała mnie we Francji, ten brak opiekuńczości, uczucia i szacunku dla osób starszych. U nas mówi się, że starsza osoba musi mieć obok siebie jakieś dziecko, choćby po to, by mogło podać jej szklankę wody. Rozmawiałam więc po francusku z moimi sąsiadami, ale nie mówiłam im o sobie, ograniczałam się do komunałów. Opowiadałam trochę „mamie Nicole" o życiu w Senegalu, ale to stało się później. Podczas ostatnich miesięcy ciąży ona zawsze była blisko mnie.

– Potrzebujesz czegoś? Właśnie idę po zakupy.

Nicole robiła także zakupy dla Babci. Pewnego dnia przyniosła mi paczkę z dziecięcą bielizną, ubrankami po jej dwóch synach. Starszy z nich był w moim wieku, pewnie czasem myślała, że gdybym była jej córką, bawiłabym się z dziećmi na podwórku lub chodziła do szkoły. Dała mi także dziecięce prześcieradła i kołderki. Wytłumaczyła mojemu mężowi, co należy jeszcze kupić dla niemowlaka. Kiedy w mieszkaniu coś zaczynało się psuć, wzywałam jej męża, François, prawdziwą „złotą rączkę"; on natychmiast przychodził z narzędziami i naprawiał cieknący kran lub zepsuty kontakt. Potrafił zreperować dosłownie wszystko. Przyjeżdżając do Francji, miałam naprawdę ogromne szczęście, że trafiłam właśnie na nich. Dobry Bóg mnie nie opuścił, kierując na nową drogę życia.

Na początku kwietnia nie czułam się zbyt dobrze. Łapały mnie bóle, potem przechodziły. Ale pod koniec tygodnia już tak bardzo cierpiałam, że zażądałam zawiezienia mnie do szpitala.

Pielęgniarki i położna musiały uznać mnie za dziecko, jednak nie były tym specjalnie zdumione. Odbierały już porody od afrykańskich matek, także z Magrebu*. Wszystkie imigrantki były mniej więcej w moim wieku.

Pielęgniarki mnie rozpieszczały, a przede wszystkim wpłynęły na poprawę mojego samopoczucia.

– Proszę nie płakać, wszystko będzie dobrze. Sama pani zobaczy, mamy świetną ekipę, nie będzie żadnych problemów.

W przełomowej chwili jakaś kobieta mi powiedziała:

– Maleńka, mam dla pani dobrą wiadomość: Kobieta, która odbierze poród, przyjechała z Senegalu. To Francuzka, spędziła tam długie wakacje, a za godzinę zaczyna dyżur. Będzie więc pani w dobrych rękach, jeszcze ciepłych od senegalskiego słońca, przesączonych zapachem waszego kraju. Kiedy oglądam w telewizji reportaże z Senegalu, też mam ochotę tam pojechać.

Nie mogłam opowiedzieć jej o moim kraju, za bardzo wtedy cierpiałam; jednak myśl, że moje dziecko trafi w ręce, które tak niedawno tam przebywały, była naprawdę krzepiąca. Urodziłam z wielką trudnością i licznymi rozdarciami może z powodu młodego wieku albo przez tę bliznę po obrzezaniu. Wtedy byłam zbyt

---

* Magreb – Algeria, Tunis i Maroko.

młoda, by zrozumieć w pełni konsekwencje dawnego okaleczenia. Dla mnie wszystko było normalne, cierpienie także.

Moja córka urodziła się w ósmym miesiącu. Kiedy położono mi ją na brzuchu, zalałam się łzami. Tak bardzo pragnęłam, żeby była tu ze mną moja mama! W Afryce, kiedy jakaś kobieta urodzi dziecko, jej matka lub babcia natychmiast zajmują się i niemowlęciem, i matką.

Miałam szesnaście lat. Moja pierwsza córka, Mouna, dawała mi nadzieję na lepsze życie z mężem. Brał ją na ręce, śmiał się razem z nią; był dobrym ojcem, może więc moje uczucie do niego także zmieni się na lepsze? Byłam gotowa starać się o to ze wszystkich sił i iść za radą moich babć: „Naucz się kochać swojego męża". Jednak moja nadzieja się nie spełniła, nigdy nie udało mi się go pokochać.

Mouna była grzecznym dzieckiem w dzień, natomiast w nocy bardzo często płakała. Po tygodniowym pobycie w szpitalu wróciłam do naszego mieszkanka. Przyjaciele, kuzyni, znajomi imigranci przyszli nas odwiedzić i modlić się o zdrowie i długie życie dla dziecka, a także o to, by jego matka miała jeszcze wiele potomków. Każdy przyniósł drobną sumę pieniędzy [wysokość zależy od stopnia pokrewieństwa]; w Senegalu kobiety dają cukier i mydło. Mydło, żeby każdego ranka prać niemowlęce ubranka, a cukier dla matki. We Francji biali dają kwiaty!

Pielęgniarki nauczyły mnie, jak karmić, kąpać i zajmować się dzieckiem: bez mamy byłam zagubioną, przestraszoną młodą matką. Tradycyjny chrzest w moim kraju polega na wyszeptaniu imienia niemowlęcia do jego ucha, siódmego dnia po jego narodzinach, do tego czasu dziecko nie ma imienia – tak nakazuje obyczaj. Zdumiała mnie więc konieczność szybkiego wyboru imienia dla dziecka, nierzadko nawet przed jego narodzeniem. Nie zdawałam sobie sprawy z faktu, że francuskie prawo cywilne jest ważniejsze od naszych tradycji. Wujkowie wyszeptali imię do uszka Mouny; nocami próbowałam jej śpiewać zapamiętane z dzieciństwa kołysanki. Nacierałam ją i masowałam masłem z drzewa masłowego, jak się to robi w moim kraju. Przeniosłam na nią całą miłość, jakiej nie byłam w stanie dać jej ojcu, lecz bardzo brakowało nam obu miłości całej rodziny. W Senegalu dziecko jest małym królem, jego matka jest rozpieszczana, wszyscy się nimi zajmują, toteż fakt bycia matką wywołał we mnie ogromną tęsknotę, której nie potrafiłam ukryć. A jednak miałam dużo szczęścia. Po powrocie ze szpitala do domu zastałam w nim „mamę" Nicole! Przygotowała kołyskę, starannie poukładała wszystkie rzeczy i przychodziła co rano pomóc mi przy kąpieli Mouny, obserwowała uważnie, jak ją masuję. Instynktownie przypominałam sobie ruchy moich babć. Coraz lepiej dawałam sobie radę.

Mama Nicole była najprawdopodobniej zszokowana, że zostałam matką w wieku zaledwie szesnastu lat, ale wtedy nie zdawałam sobie z tego sprawy. Dla mnie było to naturalne. Dziewczyna w moim wieku powinna zostać żoną i rozpocząć prokreację. Niektóre z moich kuzynek zostały wydane za mąż w wieku dwunastu lat, po pierwszym miesiączkowaniu. Jedna z nich nawet wcześniej, przed osiągnięciem dojrzałości, tylko dlatego, że była wysoka i dobrze zbudowana. Pozbawiono nas dzieciństwa i radości dojrzewania, lecz nie wydawało mi się to czymś nienormalnym. Kilka lat potem, gdyby chciano moją córkę wydać za mąż w tak młodym wieku, walczyłabym jak lwica, żeby do tego nie dopuścić. Ale miałam jeszcze długą drogę do przebycia. Na razie byłam nastolatką; znacznie później zrozumiem, że nie wszystkie elementy naszej tradycji są dobre i warte kultywowania, zwłaszcza w świecie, który tak szybko się zmienia.

Im dziecko było starsze, tym wizyty Nicole stawały się rzadsze. Nauczyła mnie, jak mam postępować, i musiałam radzić sobie sama. Odczuwałam wtedy jeszcze dotkliwszą tęsknotę. U nas, kiedy w rodzinie pojawia się dziecko – dziewczynki obserwują postępowanie ciotek i babć. Często wzywane są do pomocy na przykład przy kąpieli niemowlęcia. Nadal słyszę głos mojej ciotki:

– Khady, podaj mi mydło i masło do smarowania!

Nie ma przy mnie nikogo, kogo mogłabym o to poprosić, nikogo, kto by mi powiedział: „Podczas karmienia powinnaś jeść to i to, swoje ciało nacierać tym a tym...”.

Pozostawiona samej sobie siedziałam i płakałam – czasem przez pół godziny, czasem dłużej. Ale kiedy przychodzą do mnie przyjaciółki z Mali, natychmiast zapominam o samotności.

Mieszkam w bardzo „ludzkiej” dzielnicy, ludzie trzymają się tu razem, są życzliwi, lecz pewne rzeczy można dzielić jedynie z kimś, kogo się zna od zawsze: z siostrą, kuzynką, matką, zwłaszcza z nią; tego najbardziej mi brakowało. Z niedawno poznanymi przyjaciółkami nie można przywołać wspomnień z dzieciństwa, wspólnych przeżyć. Takich drobiazgów, o których mówi się ze śmiechem: „Pamiętasz o tamtym wydarzeniu?”.

Na przykład moja siostra była prawdziwą fanatyczką hinduskich filmów i często chodziła do kina; zwykle towarzyszyła jej ciotka lub inna starsza kobieta, rzadziej matka. Czasem udawało mi się pójść z nimi. Filmy można było oglądać w zamkniętym pomieszczeniu, chroniącym przed deszczem i wiatrem, albo pod gołym niebem; tu bilety były znacznie tańsze, lecz istniało ryzyko, że wrócimy do domu przemoczone do suchej nitki...

Bywały także śluby i bale. Dobrze pamiętam mój pierwszy bal, na który zostałam zaproszona jako koleżanka młodszej siostry panny młodej. Nie miałam odpowiedniej tuniki; siostra pożyczyła mi swoją w kolorze indygo. Moja siostra jest prawdziwą dziwaczką. Bardzo „dyplomatycznie” zaczekała, aż znajdę się na ulicy, a potem zawołała do mnie z daleka: „Tylko uważaj i nie zabrudź mi mojej tuniki, słyszysz?” – oczywiście zrobiła to po to, by wszyscy wiedzieli, że pożyczyła mi *boubou*! Przez cały bal uważałam, żeby się nie pobrudzić; prawie nic nie jadłam ze strachu, że coś mi kapnie i zrobię plamę.

Chłopcy także urządzali bale i czasem nas na nie zapraszali. I wszystkie mamy z dzielnicy przychodziły po nas punktualnie o ósmej, właśnie wtedy, kiedy zabawa dopiero się zaczynała! A jeśli, na nieszczęście, zjawiały się w chwili, kiedy światła zgaszono, by romantycznie tańczyło się slow-fox, to był prawdziwy skandal, kosmiczna katastrofa! Babcie krzyczały:

– Boże kochany, widzisz te dziewczyny? Bez światła, uczepione chłopaków, przytulone, przyklejone, co za wstyd! Boże, co za straszna hańba! Nie są już dziewicami, to pewne! Są skończone!

Przypominam sobie pewną babcię, która przyszła po wnuczkę i wtargnęła na środek parkietu, żeby wyciągnąć ją z tego „miejsca rozpusty".

Inne po prostu rozkazywały kategorycznym tonem:

– Chodź ze mną! Wracamy! A w domu dostaniesz za swoje!

Kiedy moja matka karała któreś ze swoich dzieci, mówiła zawsze:

– Nie biegam za tobą po podwórku ani po całej dzielnicy, gdzie wszyscy mogą mnie zobaczyć i pomyśleć, że ciągle cię szukam. Wrócisz na noc do domu? A więc znajdę czas, żeby ci się dobrać do skóry!

To prawda. Bawiliśmy się całymi dniami, zapominało się o wykroczeniach i wieczorem, w domu, w pokoju... przykra niespodzianka!

Mama wyznaczała palcem na cemencie wyimaginowaną linię na progu.

– Widzisz tę kreskę? Jeśli ją przekroczysz...

Mama wróżyła nam przyszłość z *cauris**. Wiele kobiet używa tych białych muszli, by przepowiedzieć pojawienie się księcia z bajki. Rozrzucają dwanaście muszli na podwórzu domu, w cieniu wysokich drzew, piją herbatę, a młode dziewczyny podchodzą powoli, drżące z podniecenia i ciekawości.

– Słuchaj, ty tam, w niedługim czasie ktoś tu przyjedzie. Zapowiada się ślub.

---

* *Cauris* – wspaniałe różnorodne muszle odkryte na Malediwach. Od X wieku znane – dzięki marynarzom arabskim, żydowskim i europejskim – w krajach Afryki, gdzie służyły za środek płatniczy. Obecnie są noszone jako amulety.

– Ach, wkrótce pojawi się dziecko... Która z was zdążyła nagrzeszyć?

Wszystko zależy od tego, jak ułożą się muszle, kiedy zostaną rzucone.

Jedna z tych *cauris* powiedziała mi pewnego dnia: „Wyjedziesz daleko, za morze. Już nie jesteś kimś stąd. Polecisz za ocean drogą powietrzną".

Byłam mężatką i zupełnie nie wiedziałam, że kiedyś wyjadę. Zresztą kto to wiedział? *Cauris*, a może ciotka, która z nich wróżyła...?

W sobotnie popołudnia dziewczynki oddawały się marzeniom w cieniu wielkiego mangowca. Ja także wtedy marzyłam. A teraz gorzkimi łzami opłakiwałam utracone dzieciństwo i brutalnie przerwaną młodość. Płakałam, nie przyznając się sama przed sobą, że nie spotkałam księcia z bajki. Czułego i uważającego męża, który nigdy by mnie nie zmuszał nocą do znoszenia swojej obecności.

Znowu zaszłam w ciążę, kiedy Mouna miała zaledwie kilka miesięcy. Musiałam natychmiast przerwać karmienie piersią. Nasze kontakty seksualne były źródłem konfliktów; niemal wszystkie kłótnie brały tu swój początek, bo zawsze usiłowałam wykręcić się od współżycia.

Pragnęłam, by dał mi spokój. Nie jestem dobrą dyplomatką, on również nie, toteż spokój nie był możliwy. Rady ciotki Marie pozostały gdzieś daleko; zdążyłam o nich zapomnieć. W tamtych czasach kładłam się spać w ubraniu, w przepasce i piżamie. Łóżko było dla mnie nieustającym niebezpieczeństwem. Niekiedy mój mąż dawał za wygraną, rezygnował ze swoich praw, częściej jednak się ich domagał.

Czasem bywało to bolesne. Przeważnie ustępowałam, w głowie miałam pustkę, leżałam nieruchoma jak kłoda. Ten obowiązek małżeński był dla mnie prawdziwą męką, którą należało po prostu znosić. Byłam pasywną fatalistką. Nawet nie zadawałam sobie pytania, czy wszystkie kobiety przeżywają to samo, czy może inaczej. Nie dla mnie miłość, o której opowiadały telewizyjne filmy. Żadnych romantycznych spacerów w blasku księżyca, przejażdżek samochodem, żadnego kina czy balu.

Druga ciąża przebiegała bez większych zakłóceń, o wiele lepiej niż pierwsza. Moja francuska mama nadal mi pomagała. Kiedy zaprowadzałam Mounę do przychodni pediatrycznej na okresowe badania, pielęgniarki natychmiast korzystały z moich usług.

– Pani dobrze mówi po francusku, czy może zna pani dialekt naszej pacjentki?

Gdy miałam spotkania z pediatrą, przychodziły tu wtedy inne afrykańskie kobiety, którym mogłam służyć za tłumacza.

W przychodni dano mi adres ośrodka pomocy społecznej, gdzie odbywały się między innymi kursy pisania i czytania, szycia i gotowania... Często tam chodziłam z moją córeczką. Kobieta kierująca ośrodkiem szybko zwróciła na mnie uwagę:

– Co pani robi na kursie dla analfabetów? Chciałabym, by pani była tłumaczką, nie uczennicą, pomoże mi pani w innych zajęciach. Powinna pani zajmować się tym, co służy rozwojowi!

Bardzo lubię szycie, poszłam więc na odpowiedni kurs, nie przerywając pracy jako tłumacz wolontariusz. Powoli zyskiwałam uznanie wśród afrykańskich rodzin. Stałam się społecznym „pisarzem", dyktowano mi listy do rodzin, zapisywałam całe stronice, a potem czytałam odpowiedzi. Zaczęłam poznawać w ten sposób historię wielu rodzin. Były nawet listy, w których mężowie prosili o „przysłanie" im drugiej żony, wyraźnie określonej dziewczyny z kraju...

Przyjmowałam u siebie przyjaciółki z Mali, przygotowywałam *tiep*, za którym przepadali ich mężowie, robiłam też pulpeciki z prosa; gotowałam je na parze i podawałam ze zsiadłym mlekiem – było to ulubione danie kobiet. Ale przede wszystkim pomagałam w tym, na co pozwalało mi moje „humanistyczne wykształcenie": wśród tych sześciu znajomych kobiet z Mali czy Senegalu byłam jedyną osobą, która chodziła do szkoły i umiała pisać i czytać. Nawet mężowie byli niepiśmienni. Wypełniałam więc stosy papierów do ubezpieczalni społecznej, pisałam prośby o zasiłek socjalny; rozszyfrowywałam recepty lekarskie, kupowałam lekarstwa, pokazywałam łyżeczką, ile leku należy podać dziecku, wskazywałam kolor tabletki – różową trzeba zażyć w południe, a niebieską wieczorem – towarzyszyłam im w wizytach u lekarzy lub gdzie indziej. Pomagając tym kobietom, sama wciąż się czegoś nowego uczyłam. Od czasu do czasu, we środy, chodziłyśmy na targ i tam też byłam tłumaczką. No i miałam dodatkowe szczęście: mamę Nicole, która zawsze była blisko mnie. To dzięki niej prawie zapominałam o smutkach i wewnętrznym cierpieniu, o rozstaniu z rodzicami. Starałam się być użyteczna, stałam się taką latarnią morską dla małej społeczności afrykańskich imigrantów, osobą, która nieźle orientowała się w labiryncie przepisów francuskiej administracji.

W tamtym właśnie okresie, wypełniając formularze dla mężów, którzy szli po zasiłek do pomocy społecznej lub po przysługującą sumę na wypadek ciąży, zaczęłam rozumieć, jak wygląda życie we Francji większości imigrantów. Konflikty w afrykańskich rodzinach dotyczyły przeważnie zasiłku socjalnego, bo wszystkie dokumenty były wystawiane na nazwisko mężczyzny, więc to mężczyzna brał pieniądze. Byłam oburzona faktem, że mężczyzna zgarnia do kieszeni „premię" za ciążę czy zasiłek na dzieci! Sama nie znałam podobnych problemów, mój mąż przynosił pieniądze do domu i razem decydowaliśmy, co z nimi zrobimy. Często zanosił je do banku i tam czekały, aż będą potrzebne. W innych rodzinach kobiety nie miały grosza przy duszy, wszystko zabierali mężowie. Niektóre wychodziły z domu, nie mając nawet dziesięciu franków. Mąż trzymał gotówkę, robił zakupy, zaspokajając głównie swoje potrzeby i przyjemności, a jego żona nie mogła kupić dzieciom jogurtu, jeśli on o tym nie zadecydował, a sobie choćby głupich majtek! Myślałam, że tego rodzaju sprawy mnie nie dotyczą; dopiero później się okazało, jak bardzo się myliłam.

Robiłam zakupy w niewielkim sklepie, w którym znałam sporo ludzi; kiedy nie było przy mnie męża, stawałam się bardzo rozmowna. Początkowo on zajmował się sprawunkami – teraz doskonale sama dawałam sobie radę.

Powolutku wypracowywałam sobie miejsce w nowym otoczeniu i któregoś dnia, właśnie w tym sklepie, gdzie często gawędziłam ze znajomymi, pewna kobieta mi zaproponowała, żebym przez jakiś czas zastępowała ją w pracy. Chodziło o drobne zajęcie przy klasyfikowaniu archiwów w biurze kolei. Najważniejsze jednak było to, że miałabym oficjalną, płatną pracę. Prawdziwą pensję! Początek niezależności...

Zaczęłam więc pracować. Starannie klasyfikowałam dokumentację według roczników. Nie było to zajęcie pasjonujące czy wymagające inteligencji, ale prawdziwe, płatne. I kiedy dostałam po raz pierwszy do ręki „pasek" wypłaty, natychmiast pewna myśl wpadła mi do głowy. Oto kiedy nadszedł nieunikniony wyjazd do Europy, wyznaczyłam sobie wyraźnie sprecyzowany cel. Postanowiłam wtedy, że gdy tylko zdobędę jakieś środki, zrobię coś ważnego dla mojej matki i sióstr.

W Senegalu chodziłam po wodę do ogólnego kranu, który znajdował się kilometr od naszego domu. Moje siostry także tam chodziły. Zanim pojawiły się takie krany w każdej dzielnicy, było sporo studni, z których woda służyła do wszystkiego: do mycia, prania itp. I nigdy jej nie brakowało. Ale wyciąganie wiadra było bardzo uciążliwe. Robiłam to, kiedy trochę podrosłam. Sznury ścierały skórę na dłoniach, z trudnością ciągnęło się wiadro do góry. W dodatku spotkania przy wspólnej studni często stawały się pretekstem do nieporozumień. Kobiety się kłóciły, a dziewczyny nawet wszczynały bójki. Głupie sprzeczki typu: „Moje wiadro stało przed twoim, więc dlaczego przesunęłaś je do tyłu?". Taka jednak błahostka pozwalała wyrównać dawne waśnie i urazy.

Mój dziadek i wujek kazali później wykopać studnię na podwórzu domu i praca związana z dostarczaniem wody stała się trochę łatwiejsza. Ale nadal trzeba było chodzić kilometr do wspólnego kranu, z którego woda była oczyszczona i nadawała się do gotowania. Bardzo chciałam uwolnić moje siostry od tej swoistej pańszczyzny. Ofiarować mojej matce kran! Kran w domu, podłączony do miejskiego systemu wodociągów! Prawdziwy luksus.

Właśnie na to przeznaczyłam moją pierwszą pensję. Natychmiast wysłałam pieniądze pocztą i zadzwoniłam do sąsiadów matki. Takiej sympatycznej rodziny metysów – ojciec pochodził z Beninu, a mama była Francuzką – ich dzieci były białe... Podali mi swój numer telefonu przed moim wyjazdem i powiedzieli do matki: „Będzie mogła do pani dzwonić, kiedy tylko zechce".

Nie telefonowałam często, bo to sporo kosztowało, ale wysyłając przekaz pocztą, nie mogłam powstrzymać się od przyjemności porozmawiania z mamą. Po przywitaniu i wymienieniu z mamą wszystkich obowiązkowych grzeczności [to dlatego rozmowy były takie drogie!], poinformowaniu o tym, co się u nas dzieje, powiedziałam jej o przesyłce.

– Mamo, wysyłam wam trochę pieniędzy, dowiedz się, jak można zainstalować w domu kran do bieżącej wody.

– Niech ci Bóg wynagrodzi, moje dziecko...

Modlitwa mojej matki była zawsze taka sama, kiedy coś ode mnie otrzymywała. Jak na razie Bóg dawał mi pieniądze tylko na kran, ale miałam nadzieję, że wkrótce będzie mnie stać na więcej.

Kiedy założono w domu bieżącą wodę, dostałam list od całej rodziny, każdy mnie pozdrawiał, a te pozdrowienia zajmowały, bez przesady, połowę listu! W końcu dotarłam do interesujących mnie wiadomości: „Założono kran, mamy w domu wodę".

Moje miesięczne wynagrodzenie podzieliłam: część przeznaczyłam na kran, część dla dziadka i dla ciotek; tyle a tyle dla nich, tyle dla dziadka, a tyle na kran.

Tydzień później nadszedł list od dziadka: „Dzień dobry, rodzina ma się dobrze, mam nadzieję, że u ciebie też wszystko w porządku. Dziękuję ci bardzo. Niech Bóg obdarzy cię długim życiem, dobrym zdrowiem i da ci więcej, niż posiadasz dzisiaj".

To błogosławieństwo oznacza: jeśli Bóg nie da ci niczego więcej, tym samym nie będziesz mogła nam pomagać.

Moje młodsze siostry mi opowiadały, że po doprowadzeniu do domu bieżącej wody matka, jak zawsze uprzejma i gościnna, zaprosiła sąsiadów, by i oni mogli podziwiać to udogodnienie, a przy okazji każdy napełnił swoje wiadro.

Ojciec zaprotestował:

– Czy zdajesz sobie sprawę z tego, co robisz? Kto zapłaci rachunek pod koniec miesiąca?

– Bóg jest wielki!

Uczę się szycia, a Nicole mi pomaga. A potem rodzę następną, wspaniałą dziewczynkę, Kiné, która waży prawie cztery kilogramy. Tym razem rozdarcia były jeszcze większe i liczniejsze i naprawdę bardzo cierpiałam.

Nadal mieszkamy w jednym pokoju, w którym są teraz dwie kołyski, duże łóżko i szafa. Mouna ma zaledwie dziesięć miesięcy, kiedy na świat przychodzi jej młodsza siostra. W tym czasie przyjeżdża do Paryża jedna z moich kuzynek, należąca do kasty kowali. Zamieszkała na dalekim przedmieściu i przyjeżdżała od czasu do czasu, żeby się ze mną zobaczyć. Jest ode mnie znacznie starsza, ale doskonale się rozumiemy.

W 1978 roku nie mam jeszcze dziewiętnastu lat i oto po raz trzeci jestem w ciąży. Moja pierwsza córka urodziła się w roku 1976, druga – w 1977, a trzecia przyjdzie na świat w 1978 roku.

W centrum medycznym dla młodych matek i ich dzieci francuska lekarka, którą dobrze znam, załamuje ręce:

– To niemożliwe, przyjechała pani do Francji i tu tak często rodzi nowe dziecko! Jak sobie pani teraz poradzi?

A przecież wcale nie wiedziała, w jakich warunkach mieszkam. Dwie kołyski – a wkrótce stanie trzecia – w jednym pokoju i małżeńskie łóżko na środku, oddzielone od reszty zasłoną! Matka i jej dzieci w domu moich rodziców czy dziadka miały o wiele więcej przestrzeni i wygody.

W rezultacie podczas trzeciej ciąży zapadam na zdrowiu i ląduję w szpitalu. Zresztą w tamtym czasie dość często choruję, dokucza mi migrena, ale lekarze nie znajdują przyczyny schorzeń. Prawdopodobnie byłam wyczerpana i cierpiałam na depresję, nawet nie zdając sobie z tego sprawy.

Kiedy przebywałam w szpitalu, asystentka społeczna wysyłała do mojego mieszkania pomoc do opieki nad dziećmi. Ale tym razem kuzynka z sekty kowali, ta, która niedawno przeprowadziła się do Paryża, proponuje, że weźmie dzieci do siebie. Mouna ma ponad dwa lata, a Kiné osiemnaście miesięcy.

– O nic się nie martw, zajmę się twoimi córkami.

Bierze je na dwa tygodnie i dwa razy odwiedza mnie w szpitalu razem z moim mężem i dziećmi. Niczego nie podejrzewam, małe zachowują się normalnie, są radosne i uśmiechnięte. Kiedy wychodzę z kliniki, przyjeżdża po mnie ze swoim mężem i moimi córkami, aby mi pomóc powrócić do domu. Siadamy do posiłku i pod koniec jedzenia oznajmia:

– Obrzezałam dziewczynki, bo są jeszcze bardzo małe. Gdybyśmy czekali, aż pojadą do Afryki, byłyby za duże; lepiej więc zrobić to teraz.

Jedyne zdanie, jakie wtedy przyszło mi do głowy, brzmiało:

– Naprawdę to zrobiłaś?

Nie rozgniewałam się ani jej nie nawymyślałam. Wzięłam na siebie odpowiedzialność za jej postępowanie, bo należała do kasty kowali i była członkiem mojej rodziny; zrobiła to, co uważała za swoją powinność. Dla niej było to zupełnie oczywiste. Obrzezanie moich córek i zajęcie się nimi po zabiegu należało do jej obowiązków. Gdybym ja decydowała, że obrzezanie ma się odbyć na terenie Francji, to właśnie do niej bym się zwróciła, ale wówczas zupełnie o tym nie myślałam. Zapomniałam o moim własnym obrzezaniu. Nie zdawałam sobie jeszcze sprawy, że poddając się nakazom tradycji, zachowałam się niczym „barbarzyńca", jak mówili o nas sąsiedzi z plemienia Wolof.

Zaczęłam myśleć o tym w nocy, ale bez większych emocji. Rano, podczas toalety dziewczynek, przyjrzałam się im uważniej. Rany już zdążyły się zabliźnić. Byłam Afrykanką, która sama przeszła podobny akt „oczyszczenia", i pomyślałam, że po prostu trzeba się temu poddać. Gdyby ta kobieta tego nie zrobiła, musiałabym to zrobić później w Afryce. Ona naprawdę miała rację: ból i związana z nim trauma byłyby wtedy o wiele silniejsze.

To wydarzenie niczego wtedy we mnie nie poruszyło. I kiedy Abi, moja trzecia córka przyszła na świat w grudniu 1978 roku, zaakceptowałam fakt, że ją także obrzezano, kiedy skończyła miesiąc. Ale jak wszystkie matki, nie mogłam na to patrzeć i wyszłam z mieszkania na podest. Słyszałam płacz, zdawałam sobie jednak sprawę z tego, że jej cierpienie nie da się porównać z tym, czego ja doświadczyłam w wieku siedmiu lat. Bardzo chciałam zająć się leczeniem rany, ale bałam się jej dotknąć, by dziecku nie sprawić bólu, więc ta kobieta opiekowała się małą przez tydzień.

Niestety, dopiero na początku następnego roku zaczęłam zadawać sobie pytania, kiedy w prasie aż huczało od artykułów dotyczących śmierci małej dziewczynki z Mali, obrzezanej we Francji.

A kuzynka z kasty kowali oznajmiła zdecydowanie:

– Moja droga, myślę, że już nigdy więcej nie obrzezam żadnej dziewczynki. Koniec z tym!

Nie powiedziała, czy uważa to za coś złego, czy dobrego, oświadczyła jedynie: „Więcej tego nie zrobię". Jakiś czas potem wyjechała z Francji.

Gdybym usłyszała lub obejrzała programy o obrzezaniu we francuskiej telewizji kilka miesięcy wcześniej, nigdy nie poddałabym moich córek podobnemu zabiegowi. Jednak pomimo kampanii uświadamiających i informacyjnych nadal podtrzymywano tę „tradycję". Kiedy pojechałam do Afryki, usłyszałam, jak moja matka mówiła do kogoś o dziewczynkach przebywających u nas na wakacjach:

– Należałoby już je obrzezać!

Mój brat studiował wtedy medycynę – było to w 1989 roku – i zapowiedział ostro:

– Niech wam nawet do głowy nie przyjdzie, żebyście miały dotknąć mojej córki! Kategorycznie zabraniam! Jeśli któraś jej dotknie, poślę ją do więzienia!

Nikt nie brał tego zbyt poważnie, a nawet żartowaliśmy na temat groźby pójścia do więzienia, bo groźba wydawała się przesadna.

Ale, o dziwo, żadna z matek nie wspominała o obrzezaniu Awy.

W 1999 roku, gdy kolejny raz byłam w Afryce, udałam się do rodzinnej wioski. Spotkałam tam kuzynkę z sekty kowali, która obrzezała moje córki. Tym razem odbyła ze mną szczerą rozmowę:

– Widziałam cię w telewizji, kiedy byłaś w Dakarze; wiem, że walczysz teraz z praktyką obrzezania. Nie mieszkam już we Francji, ale gdybym tam była, wsparłabym cię ze wszystkich sił. Zrozumieliśmy, że tego nie nakazuje nasza religia i bezwzględnie należy z tym skończyć! Nawet tutaj, w wiosce, dobrze wiemy, że to szkodzi zdrowiu, że kobiety często stają się bezpłodne albo tracą dziecko wkrótce po urodzeniu. Teraz są stowarzyszenia, które nas o tym informują.

W Senegalu prawo zabraniające obrzezania weszło w życie w 1999 roku.

Nie czułam nienawiści do tej kobiety, nie żywiłam wobec niej żadnych złych uczuć. Jeśli ktoś naprawdę powinien się wstydzić i mieć wyrzuty sumienia, to z pewnością ja sama. I chociaż przeprosiłam moje córki, nie mogę, niestety, cofnąć czasu. Przedtem we Francji nikt nie wiedział, że w tym kraju regularnie praktykuje się coś podobnego, że w latach 1975–1982 wszystkie urodzone tam dziewczynki zostały obrzezane. Dopiero w 1982 roku, po śmierci małej Malijki, podczas procesu kobiety, która ją obrzezała, społeczeństwo dowiedziało się o podobnych praktykach i wtedy zaczęły się protesty. Właśnie wówczas powstało GAMS*, stowarzyszenie założone przez pediatrów i afrykańskie kobiety, zajmujące się między innymi akcją prewencyjną w przychodniach dla młodych matek i centrach pediatrycznych. W 1979 roku skończyłam dwadzieścia lat. Dopiero teraz zaczynałam rozumować jak dorosła kobieta, ale jeszcze nie przypuszczałam, że pewnego dnia stanę się wojowniczką. Miałam zbyt wiele rzeczy do zrobienia w moim własnym życiu – sądziłam, że będę wojowniczką o swoje sprawy.

Nie mogłam dłużej znieść takiego życia. Musiałam choć na chwilę przystanąć, zastanowić się nad swoim losem; nie chcę być kawałkiem drewna w łóżku do dyspozycji męża – mogę stać się kimś innym. Powiedziałam mu, że chciałabym pojechać do Senegalu, spędzić jakiś czas z rodziną i odzyskać nadwątlone siły.

Albo wyjazd do domu, albo szpital. Nie zgłosił sprzeciwu.

---

* GAMS – organizacja walcząca o zaprzestanie okaleczeń seksualnych i zakaz ich wykonywania.

Dezintegracja, reintegracja

Jest luty 1979 roku. Przylatuję do Dakaru około czwartej nad ranem z trójką moich dzieci. Najmłodsza córka ma zaledwie dwa miesiące. Ojciec czeka na mnie na lotnisku. Od kiedy pamiętam, zawsze łączył nas pewien rodzaj porozumienia. Może dlatego, że nie zawsze z nami mieszkał. W dzieciństwie zachowywałam się jak niesforny chłopiec i matka wymierzała mi karę. Ale kiedy ojciec przebywał w domu, zwykle stawał po mojej stronie. Szybko zrozumiałam, jak mam postępować: byłam grzeczna, dopóki nie wrócił do domu, a potem mogłam robić, co chciałam – no, prawie wszystko, co chciałam – bo czułam, że jestem pod jego opieką.

„Baba" nigdy nikogo nie uderzył – ani swoich dzieci, ani żony. Uwielbiałam go. Oprócz dziadka, który cieszył się wielkim szacunkiem wnuków, ojciec był dla mnie znakiem orientacyjnym, uosobieniem mężczyzny. Człowiekiem prawym i dobrym.

I oto Baba czeka teraz na mnie, w białej tunice *boubou* i czerwonej czapeczce. Mam oczy pełne łez; nie było go w Dakarze, kiedy wyjeżdżałam z Senegalu, nie widziałam go więc prawie pięć lat.

Jemy śniadanie o wschodzie słońca i natychmiast ogarnia mnie uczucie, że powracam do życia. Mój kraj, ojciec, słońce, jedzenie… nareszcie moje dzieci będą mogły poznać swoje korzenie, dowiedzieć się, skąd pochodzę i kim naprawdę jestem.

Ojciec zawozi nas samochodem do mojej matki, do Thiès, gdzie czeka nas powitalne przyjęcie. Zgromadziła się tu cała rodzina, na czele z dziadkiem Kisima, jak zawsze szczupłym i imponująco wysokim. Od śmierci babci ze strony matki i jego drugiej żony, która mnie wychowała, dziadek mieszka z trzecią żoną i jej siostrą. Na mój przyjazd zabito barana. Wpadam w ten rodzinny kokon, cudowny nastrój domu, wolna i szczęśliwa. Mąż został daleko, mogę wreszcie swobodnie oddychać. Jestem z dziećmi i moimi przyjaciółkami – to moje prawdziwe życie.

Wszystkie koleżanki z dzielnicy przyszły podziwiać moje dzieci; zwłaszcza najmłodsze, które przechodzi z rąk do rąk. Odnajduję atmosferę własnego dzieciństwa, kiedy każda kobieta zajmowała się dziećmi, nieważne, czy swoimi, czy cudzymi. U nas to całkiem naturalne, że sąsiadka, ciotka czy koleżanka przychodzi po porannej kąpieli i zabiera dziecko na cały dzień do swego domu. Moja najmłodsza córeczka jest dla wszystkich źródłem prawdziwej radości.

Po porodzie moja mała Abi miała tak jasną skórę, że wujowie z Paryża naprawdę się niepokoili. Jeden z nich zapytał nawet mojego męża, czy jest pewien, że to jego dziecko! Ale mąż nie miał najmniejszych wątpliwości: jego babka też miała bardzo jasną skórę, a ze strony mojej matki mam także przodków pochodzących w prostej linii od Maurów.

W mojej rodzinie nikt się temu nie dziwi, zresztą często się zdarza, że dziecko o jasnej karnacji ciemnieje z wiekiem. Jednak jasna skóra mojej córki powoduje nieporozumienie, z którego muszę wyciągnąć nauczkę. W Thiès zakończono właśnie budowę stadionu i tysiące osób przybyło na imprezę inauguracyjną. Biorę dziecko na plecy, niczym prawdziwa Afrykanka, i zanurzam się w tłum widzów razem z przyjaciółkami i kuzynkami. Nagle zwraca się do mnie jakaś kobieta:

– Moje biedne dziecko, ależ ty maltretujesz maleństwo twojego pracodawcy!

Wzięła mnie za służącą białych, zatrudnioną przez nich do opieki nad dzieckiem, które niosłam na plecach! Odpowiedzi udziela jej kuzynka:

– To nie niania, to jest jej córeczka, jej własne dziecko.

Kobieta wybucha śmiechem.

– Przepraszam cię, moja mała, ale jesteś taka młoda! Źle nosisz dziecko. Trzeba je lepiej przywiązać.

Aby nosić dziecko na plecach, należy używać dwóch taśm materiału, które owija się wokół talii i pod ramionami. Dziecko jest w środku, niczym w kieszeni, z szeroko rozpostartymi udami. Lekarze we Francji bardzo polecają taki sposób noszenia maluchów; są przekonani, że doskonale wpływa na prawidłowy rozwój stawów biodrowych niemowląt. Mój pediatra mnie prosił, bym przekonywała do tej metody moje rodaczki w Paryżu, ale one wolały nosić swe dzieci „na kangura". Ja sama jeszcze nie opanowałam dobrze techniki noszenia dzieci na plecach – po naszemu nazywanej *bambado*.

Po powrocie do domu kuzynka opowiedziała o tym wydarzeniu, co wywołało szalony śmiech całej rodziny. Jaka to u nas cudowna rzecz: można być biednym, ale naprawdę cieszyć się życiem! Każdy drobiazg staje się pretekstem do wybuchu wesołości czy świętowania. Warunki życia w Afryce są jakie są, więc może lepiej o nich zapomnieć albo z nich żartować. Senegalczycy lubią czarny humor i kpią sobie przy każdej okazji. Dochód narodowy na głowę jest jednym z najniższych na świecie. I chociaż Dakar sprawia wrażenie nowoczesnej stolicy, to, by przetrwać, trzeba umieć radzić sobie, mieć zmysł przedsiębiorczości: trzeba być gotowym do podjęcia jakiejkolwiek pracy, by uniknąć bezrobocia, naprawiać wszystko, co jeszcze może się przydać, samemu robić zabawki z niedużych butelek po piwie lub kapsli po coca-coli, zbierać rzemienie i produkować z nich torby, a nawet walizki. A przede wszystkim – żartować!

Zdaję sobie sprawę, że będę musiała powrócić do Francji, jednak w tamtej chwili taka myśl nie przychodzi mi do głowy. Muzyka, rodzinne żarty, tradycyjne potrawy – chłonę to wszystko aż do upojenia. Jestem łakoma i napawam się szczególnie jednym tradycyjnym daniem – kaszą kuskus doprawioną sosem na bazie liści fasoli i zmielonych orzeszków ziemnych. W języku *soninké* nazywa się to *déré*. Ale najprzyjemniejszą chwilą dnia jest śniadanie. Matka kroi chleb i wręcza każdemu kromki posmarowane odrobiną masła, jeśli oczywiście akurat jest masło w domu... Biorę filiżankę *kinkeliba* – lokalnej herbaty – i siadam na małej ławce na podwórzu. O tej porannej godzinie słońce nie grzeje zbyt mocno, powietrze jest łagodne. Przychodzą dzieci, jeszcze zaspane, a babcia do nich mówi:

– Umyj twarz i usta, zanim powiesz dzień dobry...

Z nikim się nie rozmawia, jeśli nie dopełni się tych niezbędnych warunków higieny osobistej zaraz po wstaniu z łóżka.

Znowu słyszę te słowa. To prawdziwe szczęście. Na tym podwórku jestem nareszcie wolna, daleko od paryskiego przedmieścia, ciasnego pokoju, w którym trudno się obrócić. Tu mogę swobodnie biegać, o nic się nie potykając. Moje córki ganiają za kurami i rowerami, usiłując je złapać. Są tak rozpieszczane, że prawie o mnie zapominają. I już wiedzą, że u babć czy ciotek zawsze znajdzie się coś pysznego do schrupania. Szybko zrozumiały, że obydwa domy – dziadka i mojej matki – są ze sobą połączone i można coś skubnąć tu i tam, a także dostać należną porcję pieszczot i całusów. Moi kuzyni i kuzynki są z nich bardzo dumni i oprowadzają je po całej dzielnicy. U nas zawsze ktoś składa wizytę, ciągle w domu są goście, ciotka, sąsiadka albo przyjaciółka; przynoszą ze sobą coś do jedzenia, by powitać przybyłą osobę lub pożegnać ją przed wyjazdem do dalekiego kraju. Taki prosty sposób, żeby pokazać, że się pamięta, nie zapomniało, że ta osoba nadal jest częścią lokalnej społeczności. I chociaż mieszkający we Francji często są „bogaczami", nigdy nie okazują, że zapomnieli, skąd pochodzą. We Francji są ubezpieczenia społeczne, zasiłki rodzinne, praca, a więc wystarczająca ilość jedzenia i opieka medyczna. Ale tutaj jest rodzina, solidarność i miłość.

Pojechałam z dziećmi do rodzinnej wioski rodziców, niedaleko Bakel. Było bardzo gorąco, ale musieliśmy tam pojechać, by złożyć wyrazy uszanowania starszym braciom ojca i złożyć kondolencje po śmierci jednego z nich. To długa podróż przez wioski i miasteczka, zamieszkane przez plemiona Peul i Soninké, w dolinie rzeki Senegal, prawie do granic Mali i Mauretanii. Linia kolejowa, łącząca Dakar z Bamako, ma stację w miasteczku Kidira; następna jest już w Mali. Od tego miejsca trzeba przebyć bardzo niewygodną drogę samochodem, aż do Bakel, a tam przesiąść się na pirogę i popłynąć nią do wioski, z której pochodzi cała rodzina – zarówno ze strony ojca, jak i matki. *Griot** powitał nas według pradawnej tradycji. Pozostaliśmy tam cały tydzień. Spotkałam dwie kuzynki, które wychowywały się ze mną u babci Fouley. Wzruszające było to spotkanie już nie dzieci, ale dorosłych kobiet i matek. Ludzie na wsi są bardziej gościnni i serdeczni niż mieszkańcy miast. Dzielą się wszystkim. W przeddzień wyjazdu zostałyśmy obdarowane – moja matka i ja – prosem, ryżem, słodkimi patatami, kuskusem i orzeszkami. Polecono nam rozdać te prezenty w Thiès mieszkańcom całej dzielnicy! Każdy powinien dostać swoją część.

To jest właśnie afrykańska solidarność.

W ogóle nie myślałam o wyjeździe do Francji aż do chwili, gdy znalazłam się na lotnisku ze ściśniętym sercem i zalana łzami.

Wsiadłam do samolotu razem z dziećmi i powróciłam do paryskiego mieszkania, które wydało mi się teraz jeszcze ciaśniejsze. Nie ma podwórka opromienionego wschodzącym słońcem ani ławeczki pod rozłożystym mangowcem; musiałam znów przyzwy-

---

* *Griot* – tradycyjny muzyk, znachor, trochę szaman i opowiadacz.

czaić się nie tylko do europejskiego stylu życia, ale również do pożycia małżeńskiego: wspólnego mieszkania z ojcem moich dzieci, wspólnego łóżka, nieustannego niebezpieczeństwa.

Zaczynam mówić, że nie chcę mieć więcej dzieci. Oznacza to koniec współżycia seksualnego. Dla męża jest to trudne do zaakceptowania, z czego bardzo szybko zdaję sobie sprawę. W tamtym czasie posiadaliśmy niewielkie oszczędności: czynsz za mieszkanie nie był zbyt wygórowany, wysyłaliśmy więc co miesiąc niewielką sumę pieniędzy do Afryki, założyliśmy sobie telefon, a przede wszystkim mogliśmy zrealizować największe marzenie mojego ojca, opłacając mu podróż do Mekki. Mąż zgodził się, żeby ojciec zamieszkał z nami przez pewien czas w Paryżu i stąd wyruszył samolotem do świętego miasta. Całe to przedsięwzięcie wymagało trochę zachodu i przede wszystkim czasu. Naprzeciwko naszej klitki było wolne niewielkie mieszkanie, składające się z jednego pokoju i maciupeńkiej łazienki z prysznicem. Wypatrzyliśmy je wkrótce po urodzeniu się naszego trzeciego dziecka, mąż rozmawiał już w sprawie jego wynajęcia z właścicielem budynku, ale nie otrzymał odpowiedzi.

– Idź i porozmawiaj z nim. Może przynajmniej wysłucha ciebie!

I rzeczywiście, wysłuchał. Kiedy weszłam do jego biura, ze zdumienia szeroko otworzył oczy.

– Niemożliwe! To pani jest żoną Moussy? Ależ... ile pani ma lat? I już ma pani troje dzieci? Taka młoda? On jest od pani dużo starszy!

Uśmiechałam się, nic nie mówiąc. A on zgodził się wynająć nam to dodatkowe mieszkanie; w 1979 roku czynsz za oba te lokale wynosił trzysta pięćdziesiąt franków miesięcznie. A więc w tym pokoju z prysznicem mogłam ulokować mojego ojca na czas jego pobytu u nas oraz dwie starsze córki; najmłodsze dziecko zostało z nami. Później to ja zamieszkałam w tym pokoju razem z dziećmi, z dala od małżeńskiego niebezpieczeństwa nocą…

Mniej więcej w połowie roku jeden z moich młodszych braci – najmłodszy syn mojego ojca – zmarł w wieku zaledwie piętnastu lat. Od urodzenia cierpiał na straszną, nieuleczalną chorobę. O tym smutnym wydarzeniu dowiedzieliśmy się z telegramu ojca: „Twój młodszy brat zmarł, nie będę mógł przyjechać". Przy redakcji telegramu w Dakarze nastąpiła pomyłka, ojciec chciał nam napisać: „ale będę mógł przyjechać". Bardzo się zmartwiłam i pomyślałam, że pewnie już nigdy nas nie odwiedzi.

Anulowałam więc jego miejsce w pielgrzymce do Mekki. A tu pewnego październikowego dnia dzwoni telefon i paryski kuzyn oznajmia:

– Ktoś chce z tobą rozmawiać.

I słyszę głos ojca:

– Co się dzieje? Próbuję dodzwonić się do ciebie od samego rana. Nie wyszłaś po mnie na lotnisko.

– Jak to? Przecież napisałeś, że nie możesz przyjechać.

– Pomylili się. Miało być odwrotnie. Nie mogłem stracić pieniędzy, które wydałem na bilet! Twój młodszy brat zmarł i nic nie mogłem dla niego zrobić, nawet gdybym został na miejscu.

Ojciec zamieszkał z nami przez rok, aż do następnej pielgrzymki do Mekki. Bilety lotnicze były zbyt drogie, żeby mógł jeździć tam i z powrotem. Ojciec przeszedł na emeryturę, nie miał nic do roboty w Senegalu, a poza tym była to jego pierwsza wizyta we Francji. Korzystając z tego, że mógł zaopiekować się dziećmi, rozpoczęłam kursy księgowości. Mąż nie życzył sobie, żebym powróciła do szkoły, nie chciał też, bym poszła do pracy. W rodzinnym domu wszyscy zachęcali mnie do kontynuowania nauki i zdobycia zawodu. Matka doradzała szkołę medyczną, twierdząc, że pielęgniarka zawsze znajdzie pracę w Senegalu. Ja wolałam znaleźć coś względnie łatwego i szybkiego w realizacji, bo ciągle kiełkowała we mnie myśl, że pewnego dnia powrócę na zawsze do rodzinnego kraju. Poszłam więc na kurs dla pomocników księgowych. Za kurs trzeba było zapłacić, ale postarałam się o sfinansowanie nauki przez organizację Assédic. Moja edukacja była przyczyną kłótni, które się teraz zaczęły, bo wychodziłam z domu prawie na cały dzień. Dla ojca zajmowanie się dziećmi nie było zbyt uciążliwe, gdyż dwoje starszych chodziło już do przedszkola – musiał jedynie je tam wyprawić i zaopiekować się niemowlęciem, co doskonale potrafił robić. I sprawiało mu to prawdziwą przyjemność.

Ale mój mąż twardo trzymał się starych pryncypiów: „Żona nie wychodzi do pracy, żona ma siedzieć w domu!”.

Od ślubu nawet przez chwilę nie przyszło mu na myśl, że mogę pracować i zyskać choćby odrobinę niezależności. Właśnie tu tkwi największa różnica między afrykańskimi imigrantami a ich pozostałymi w kraju braćmi. W Senegalu kobiety bez żadnych przeszkód podejmują pracę według własnych możliwości, polepszając byt swojej rodziny. W moim kraju kobieta, bez względu na przynależność etniczną czy kastową, szanuje swego męża i swoją rodzinę, ale cieszy się wolnością i może chodzić, dokąd chce. Nie zakrywa twarzy jak kobiety arabskie, nakrywa jedynie głowę i ubiera się przyzwoicie – co nie przeszkadza jej być dobrą muzułmanką – a w poligamicznym małżeństwie urządza się najlepiej, jak potrafi. Mężowie zgadzają się, żeby ich żony miały na przykład swój „mały handel”. Natomiast mój mąż we Francji chciał mnie zamknąć w mieszkaniu, a moim jedynym statusem społecznym miała być rola kury domowej, co roku znoszącej nowe jajka po to – niech mi Bóg wybaczy, ale zbyt późno zdałam sobie z tego sprawę – by dostawać coraz większy dodatek rodzinny, który wykorzystywał do własnych celów, jak robi to większość mężczyzn. Uwielbiam moje dzieci, są krwią z mojej krwi, ale w wieku niespełna dwudziestu lat dałam już wszystko, co mogłam. Obudziła się we mnie taka energia, taka chęć, aby coś osiągnąć, że wzięłam na siebie mnóstwo obowiązków.

Chodziłam na kursy księgowości, sprzątałam i doglądałam pewnej starszej pani, żeby zarobić trochę pieniędzy. Koleżanka z Mauretanii wyjeżdżała na wakacje i poprosiła mnie, bym ją zastąpiła. Towarzyszyłam tej pani do teatru i kina. To dzięki niej odkryłam eleganckie sklepy Paryża, takie jak: Galeries Lafayette, la Samaritaine czy le Bon Marché, jakich nie widziałam w moim dotychczasowym życiu... W owym czasie po raz pierwszy sama autobusem objechałam Paryż. Kiedy nie czułam się dobrze, a samotność stawała się nie do zniesienia, wsiadałam do linii PC, która wiozła mnie przez całe miasto za cenę jednego biletu. Czasami autobusem nr 75 docierałam aż do Pont-Neuf*. Odbywałam te małe podróże, zanim mąż wrócił z pracy do domu; poznawałam miasto i zapominałam o smutkach. Oglądałam domy, przepiękne budynki i ważne zabytki. Pragnęłam utrwalić Paryż w pamięci. Nie chciałam być nieokrzesaną afrykańską kobietą. To miasto oferowało mi tak wiele okazji do pracy, do osiągnięcia czegoś w życiu! Mogłam pracować, zarabiać na siebie i na dzieci, zdobyć zawód, no i wskoczyć do samolotu, który zawiezie mnie do rodzinnego kraju.

Niedługo przed zakończeniem kursu, na początku 1980 roku, znów zachodzę w ciążę. Mój mąż jest w tym okresie bezrobotny; zamknięto fabrykę, w której pracował. Ale dobry Bóg nadal mnie nie opuszcza. Spotykam pewnego Francuza, który proponuje mi pracę w stowarzyszeniu zajmującym się zarządzaniem budynkami Richelieu-Drouot. Mam nadzorować roboty porządkowe, a także sama trochę sprzątać. Przyjmuję propozycję, przedstawiam mu męża, który również zostaje zatrudniony jako strażnik budynku. Otrzymuję upragniony dyplom pomocy księgowej już po urodzeniu czwartego dziecka. Tym razem jest to chłopiec, Mory.

Na czas porodu i pierwszych tygodni potem chwilowo zawiesiłam kursy. Sprowadziłam do Paryża młodszą siostrę, by mi pomogła; starsze dzieci wkrótce pójdą do szkoły. Siostra przyjechała w końcu 1981 roku; wróciłam wtedy na kurs, otrzymałam

* Pont-Neuf – najstarszy most Paryża, niedaleko katedry Notre Dame.

dyplom, zapisałam się do biura pośrednictwa pracy i czekałam na stały pełny etat.

Mój syn miał siedem czy osiem miesięcy. Domowe kłótnie trwały właściwie bez przerwy; chodziło oczywiście o moje ambicje zawodowe, ale też o nasze relacje seksualne, których w ogóle nie chciałam. No i o to, że zarabiałam pieniądze, że to ja „nosiłam spodnie" w rodzinie i chciałam rządzić. Wszystko wywoływało konflikt. Małżeństwo stawało się dla mnie pułapką. Musiałam się z niej wydostać, ale w jaki sposób? I tak, by nie powodować zamieszania w rodzinie! Ojciec pojechał do Mekki w roku 1981, po powrocie rozchorował się i przez pewien czas przebywał w szpitalu, zanim mógł wrócić do Senegalu. A w tym czasie koledzy mojego męża, kierowani męską solidarnością, bez przerwy gadali na mój temat, a on skwapliwie ich słuchał:

– Nie powinieneś pozwalać swojej żonie, żeby robiła to czy tamto...

– Kiedy kobiety tutaj pracują, powinny oddawać pensję mężowi, ale one chcą pieniądze zostawiać sobie, wysyłać do rodziców. To nie jest normalne. Ty ją tu sprowadziłeś i ona musi ci wszystko oddawać.

Mąż nadal kupował żywność, ale nie chciał mi dać ani grosza, więc czekałam niecierpliwie na telefon, w którym usłyszę: „Proszę zgłosić się pod ten adres, mamy dla pani pracę...".

I w końcu telefon zadzwonił.

Ulica Faubourg-Saint-Honoré znajduje się w szykownej dzielnicy Paryża. Ubieram się po europejsku: spódnica, bluzka koszulowa, sweter; młodsza siostra pilnuje dzieci. Ojciec jest jeszcze razem z nami. I zaczynam pierwszą, prawdziwą pracę w życiu. Tłumaczą mi, co mam robić, integruję się z zespołem bez większych trudności już w pierwszym tygodniu i – kolejny cud – po okresie próbnym dostaję zatrudnienie w pełnym wymiarze godzin na sześć miesięcy! Czuję się zupełnie inaczej – ważna i potrzebna; pracuję w biurze wielkiej firmy ubezpieczeniowej i w eleganckiej dzielnicy! Korzystam z wolnego popołudnia raz w tygodniu ze względu na dzieci. Mam te same przywileje co inni, muszę jedynie, tak jak inni, przepracować sto sześćdziesiąt dziewięć godzin miesięcznie.

Zapominam o wszystkim: o kłótniach i małżeńskim łożu. W południe jadam z kolegami z pracy w barze na rogu. Znowu jestem kimś, sądzę, że pewnego dnia wszystko mi się uda! Zarabiam prawie dwa razy tyle co mój mąż.

Mogę zatem partycypować w kosztach utrzymania rodziny, mając nadzieję, że w zamian mąż pozostawi mnie w spokoju.

W głowie rodzi się myśl o buncie. Do tej pory przestrzegałam posłusznie naszych tradycji: zostałam obrzezana, przymuszono mnie do wyjścia za mąż i uprawiania małżeńskiego seksu. Zaczynam jednak mieć tego serdecznie dosyć. Dokładam się do domowych wydatków, ale zachowuję swoją autonomię.

Pewnego dnia wręczam mu plik banknotów, dwa tysiące pięćset franków.

– To mój udział w domowych zakupach.

Patrzy na pieniądze z lekceważącym wyrazem twarzy i odpycha je zdecydowanym ruchem.

– To wszystko, co masz zamiar mi dać?

Rzuca mi te pieniądze w twarz, i to przy koleżance, która przyszła zapleść mi włosy. Co za wstyd!

Odpowiadam:

– W porządku, od dzisiaj możesz na mnie więcej nie liczyć. Koniec z tym!

Koniec także z ciążami każdego roku. Od pewnego czasu biorę pigułki antykoncepcyjne [poradzono mi to w poradni planowania rodziny]. I od pewnego czasu bronię się, kiedy mnie atakuje.

Mąż uważa, że mój przypadek jest poważny; wkrótce stanę przed rodzinnym „sądem" wujków i kuzynów.

Moja siostra ma czternaście lat. Jej pomoc jest naprawdę nieoceniona; nie waha się także stanąć po mojej stronie. Kiedy mąż zachowuje się wobec mnie wulgarnie, nie zastanawia się i krzyczy na niego bez pardonu. Mój ojciec podczas pobytu u nas nie ośmielał się wtrącać w nasze sprawy, ale też niczego mi nie zabraniał. Jednak dobrze wiedział, że w moim małżeństwie nie dzieje się najlepiej. Gdy mieszkał z nami, mogłam wyjechać do Londynu na weekend, razem z kuzynkami i kuzynami. Pojechaliśmy tam kupić piękne materiały, by je potem sprzedać. Próbowałam wszystkiego, co pozwoliłoby mi otworzyć się na świat, zarabiać pieniądze i iść do przodu. Moja matka powiadała: „Za szybko chodzisz, moja córko!”.

I rzeczywiście „chodziłam” w dobrym celu, a kiedy byłam poza mężowskim domem, szło mi to bardzo sprawnie. Rozwijałam się, natomiast mój mąż się nie zmieniał, zresztą jak żaden mężczyzna z jego otoczenia, żaden z tak zwanych jego przyjaciół.

Kiedy ojciec wyjechał, sama musiałam stawić czoła mężowi i jego niechęci do wszystkiego, co robię. Nie wie, że biorę pigułkę, lecz i bez tego mamy dosyć powodów do nieustających kłótni, nie chcę więc dorzucać kolejnego, równie drażliwego. Zresztą nieważny jest powód, może chodzić o zupełną błahostkę – i tak nigdy nie mam racji. Na moje zachowanie skarży się jednemu z wujków. Ten oznajmia autorytatywnym tonem:

– Żona nigdy nie ma racji wobec swojego męża.

To nie koniec, udziela również rady, której mąż skwapliwie słucha:

– Skoro jest tak źle między wami, powinieneś odesłać jej siostrę do Afryki. Żona się buntuje, bo ma tu siostrę, która jej pomaga; pozbawiona tej pomocy – zobaczysz – powróci do normalności.

Inaczej mówiąc, trzeba odebrać mi pomoc młodszej siostry, pomoc, dzięki której mogę pracować, zarabiać i buntować się; należy przywołać mnie do porządku, wskazać właściwe mi miejsce, żeby mąż znów przejął władzę. Mąż zaczyna zachowywać się wyjątkowo wstrętnie wobec mojej siostry, co oczywiście jeszcze zaostrza sprawę. Wysyła do Afryki listy, w których opowiada, że siostra rozbija jego małżeństwo! Donosi o tym w listach lub mówi przez telefon i robi to tak długo, aż w końcu moja matka, zmęczona tym i rozgniewana, odpowiada mu poirytowanym tonem:

– Jeśli nie jesteś w stanie przypilnować mojej młodszej córki, twojej własnej kuzynki, to odeślij ją do domu!

A ja w tym czasie poczyniłam pierwsze kroki, żeby załatwić jej kartę stałego pobytu, by mogła kontynuować naukę we Francji i zdobyć zawód. Pewnego dnia mąż oznajmia brutalnie:

– To bilet dla twojej siostry, ona wraca do domu.

Usiłowałam wpłynąć na rodziców, ale powiedzieli: nie. Myślę, że nigdy nie zapomnę mu tej podłości, tego, co zrobił siostrze i mnie.

Od tego wydarzenia miałam go serdecznie dosyć, nie tylko jego, ale całego środowiska, w którym się obracał. Zostałam zmuszona do zrezygnowania z pracy. Moje okno na świat z trzaskiem się zamknęło. Jestem w domu zupełnie sama, zajmuję się dziećmi, a wieczorem nie mam do kogo otworzyć ust. Zwłaszcza wieczorem. Kiedy była tu siostra, mogłyśmy rozmawiać godzinami. Ale on tego nie lubił. Zdarzało się nam mówić w języku *wolof*, którego on nie rozumiał i to doprowadzało go do szału.

Moje małżeństwo jest pomyłką. Ale wiedzą o tym tylko moje dzieci. Do tej pory, pomimo kłótni, mąż zachowywał się jak dobry ojciec. Kocha swoje dzieci tak samo jak ja, jednak wspólna miłość nie jest w stanie zbliżyć nas do siebie. Nie udało mi się pokochać tego mężczyzny, może to moja wina, mój wstręt do dzielenia z nim małżeńskiego łoża. Nie wiem. Kobiety afrykańskie nie zwierzają się sobie z intymnych spraw, to zbyt osobiste i wstydliwe. Dlatego wówczas zupełnie nie zdawałam sobie sprawy, czy ten wstręt to tylko moje odczucie, czy może jest konsekwencją obrzezania. Mam pewne wątpliwości, ale wolę tego nie wiedzieć. Bo niby po co? Widać takie jest moje przeznaczenie.

We wrześniu 1982 roku moje najmłodsze dziecko, syn, będzie mogło pójść do przedszkola i znowu odzyskam trochę swobody w ciągu dnia.

To także moja jedyna nadzieja, żeby poszukać nowej pracy.

Właśnie w tym czasie przypadkowo spotykam pewną kobietę z Mali, która jest członkiem pierwszego stowarzyszenia afrykańskiego w Paryżu, CERFA, założonego i prowadzonego przez wolontariuszy. Radzi mi, żebym zajrzała tam od czasu do czasu.

Widzę tam kobiety, afrykańskie matki i żony, które uczą się pisać i czytać. Podczas trzeciej wizyty Malijka mi proponuje, żebym poprowadziła takie zajęcia jako wolontariuszka. W stowarzyszeniu poznaję również kobietę z Senegalu, z którą mogę szczerze porozmawiać, a nawet trochę się zwierzyć, by nie wpaść w totalną depresję. Najważniejsze jednak jest to, że znowu mogę coś robić, mam jakiś cel, mogę być pożyteczna.

I przygotowuję się do drugiego wyjazdu do Afryki. Tym razem „wysyłają" mnie, żeby rodzice wygłosili mi odpowiednie kazania, po których wrócę bardziej uległa i posłuszna. Używam liczby mnogiej, bo nie chodzi tylko o mojego męża, ale o całą męską społeczność, która podsunęła mu taką myśl. Tym lepiej dla mnie, bo marzył mi się ten wyjazd.

Po powrocie do Francji trzy miesiące później okazuje się, że kazania nie odniosły pożądanego skutku; wcale nie stałam się bardziej uległa. Jest nawet gorzej. Między nami powstał wysoki mur i po raz pierwszy odczuwam nienawiść do mężczyzny, który za wszelką cenę pragnie nade mną dominować. No i nie wybaczyłam mu postępowania z moją siostrą. Chodziło mu tylko o to, by przeszkodzić mi w pracy zawodowej. Jest rok 1983, już od ośmiu lat walczę o swoje prawa i jakieś światełko w tunelu. I nie mam zamiaru z tego zrezygnować.

Dyrektorka przedszkola przyjęła mojego syna; trzy córki chodzą już do szkoły. Przez większą część dnia w domu nie ma nikogo. Początkowo odbieram dzieci w południe, potem mi proponują, żeby jadały w stołówce. I znowu mam szczęście – dowiaduję się o sześciomiesięcznym kursie szycia i doskonalenia znajomości języka francuskiego. Nie przeszkadza mi to w zajmowaniu się dziećmi. Zajęcia przeznaczone są głównie dla matek i kończą się w porze powrotu dzieci ze szkoły. Radzę więc sobie zupełnie nieźle.

W domu zachowuję się jak prawdziwa dzikuska: siedzę w swoim kącie, robię to, na co mam ochotę. On traktuje mnie jak wroga. A na początku naszego małżeństwa tak się chwalił całej rodzinie, jaką jestem dobrą żoną, dokładnie taką, jaką sobie wymarzył – cichą i uległą; teraz bez przerwy wysyła do moich rodziców listy pełne oskarżeń i wyrzutów. Jestem złą żoną, a od kiedy znalazł w mojej torbie pigułki antykoncepcyjne – także dziwką.

– Co to jest?

– Lekarstwo!

– Ach tak!... Wy, kobiety, bierzecie to po to, żeby nie mieć dzieci! I móc latać za mężczyznami! Kobiety, które biorą pigułki, są dziwkami!

Byłam matką czworga dzieci i myśl uganiania się za mężczyznami nawet nie przemknęła mi przez głowę. Gdyby choć trochę zwracał na mnie uwagę, starałby się lepiej mnie poznać, wiedziałby, że nie byłam do tego zdolna. Nie mogłam nawet podjąć z nim dyskusji, przedstawić moje argumenty, wytłumaczyć zmęczenie, ciąże, które następowały po sobie zbyt szybko, i moją zupełną niezdolność do jakichkolwiek kontaktów seksualnych.

To nie był człowiek dialogu, ale samiec, który nie musi niczego tłumaczyć żonie, bo jako mężczyzna ma zawsze rację. Z europejskiego punktu widzenia to prawdziwy dramat. Z afrykańskiego – zwłaszcza tego środowiska, w którym się obracał – to klasyka! A ponadto był ode mnie prawie dwadzieścia lat starszy, nigdy nie przestąpił progu szkoły i nigdy nie czuł potrzeby patrzeć na cokolwiek z innej perspektywy niż czubek własnego nosa. I to nie dlatego, że był niepiśmienny, lecz po prostu nie umiał głębiej się nad czymś zastanowić, na to brakowało mu inteligencji.

Natychmiast wysłał wiadomości do Senegalu, że biorę pigułki, dodając niesprawiedliwie, że robię to, by uganiać się za mężczyznami. Tego nie mógł znieść mój dziadek, dotknięty do żywego w swojej dumie.

– Skoro ośmielił się ciebie przeklinać, to obraził także twoją matkę! Daję mu wnuczkę, a on ciągnie ją za sobą przez pół świata, żeby ją maltretować!

W Senegalu, na łonie rodziny, czułam się o wiele silniejsza. To we Francji lokalna społeczność afrykańska nie darzyła mnie zaufaniem. To we Francji mój mąż zawsze miał rację; w każdym razie wszyscy przy każdej okazji mu to powtarzali. Rację, kiedy żądał, bym oddawała mu całą pensję; rację [czym sam sobie zaprzeczał], że zniechęcał mnie do podjęcia pracy. Rację, płodząc dzieci rok po roku. Zawsze miał rację. Nie był z gruntu złym człowiekiem, nawet miał miłe cechy. Nie do przyjęcia było jednak to, że słuchał tylko innych, nie miał własnego zdania i nigdy się nad sobą nie zastanawiał.

W 1984 roku otrzymuję dyplom i kończę staż. Planuję, że to dopiero początek, pragnę zdobyć zawód projektantki. Chcę nauczyć się wszystkiego od podstaw – od kroju do realizacji stroju. Powiedziano mi o odpowiedniej szkole, ale już nie ma wolnych miejsc. I tak mija rok w ponurej atmosferze, na kłótniach w domu. Dzieci rosną. Najstarsza córka jest już w połowie podstawówki, młodsza tuż za nią, a trzecia w zerówce. Robię wszystko, żeby dzieci dobrze się uczyły i uprawiały sport. Kiedy szkoła organizuje jakieś imprezy, zawsze biorą w tym udział, a kiedy mają dzień wolny i pogoda sprzyja, chodzę z nimi do parku w naszej dzielnicy lub do Jardin des Plantes.

Pewnej niedzieli, kiedy ciągnące się przez cały tydzień kłótnie nie ustawały, mąż sprowadził do domu wujka, żeby kolejny raz wygłosił mi kazanie.

– Naprawdę zupełnie cię nie rozumiem, w ogóle nie słuchasz, co się do ciebie mówi. Opowiedział mi, co się u was działo przez ten tydzień. Jak zwykle nie masz racji.

Co on mu naopowiadał? O rzeczach intymnych i ważnych czy też o głupotach dotyczących mojego zachowania? O pigułce? O moich odmowach? O spacerach po Paryżu?

Tego dnia czuję się naprawdę źle. Postanawiam nie płakać i więcej nie słuchać. Koniec. Wołam dzieci.

– Załóżcie kurtki, idziemy do parku.

– Dokąd idziesz?

– Na spacer z dziećmi, do parku.

– Nie tylko brakuje ci respektu dla męża, ale obrażasz teraz także mnie! Specjalnie się tu fatygowałem, żeby załagodzić sytuację między wami!

– Dla mnie to koniec, nie będzie żadnego łagodzenia. Jestem zmęczona. Jeśli dobry Bóg istnieje, to nas porozdziela.

Kiedy było już naprawdę nie do wytrzymania, podczas wakacji lub ferii zabierałam dzieci do Normandii, do mojego wujka, brata ojca. To było dla mnie jedyne schronienie, tylko u niego na wsi czułam się wolna i chyba nawet szczęśliwa.

Mój dziadek miał starszego brata, który całe swoje życie mieszkał we Francji. Przybył tu z Senegalu w 1916 roku jako jeden ze słynnych strzelców wyborowych, którzy walczyli o wolność Francji. I Normandia stała się dla niego rodzinną ziemią. Nie widział się z afrykańskimi krewnymi od zakończenia wojny. Normandczycy stali się jego drugą rodziną, uwielbiał ten kraj i ogromną farmę, na której mieszkał. To on zaszczepił we mnie miłość do prowincji francuskiej.

Nigdy nie zapomnę dnia, w którym dziadek przysłał mi adres swojego starszego brata. Wsiadłam z dziećmi do pociągu, pojechałam do Normandii, do miasteczka niedaleko jego miejsca zamieszkania, i poprosiłam żandarmów o wskazanie mi drogi.

Dowódca, który doskonale znał gospodarstwo mojego stryjecznego dziadka, był bardzo uprzejmy i sam zawiózł nas na miejsce.

Lato, kukurydza na polach była już wysoka. Spostrzegam wychodzącego pana z rękami założonymi do tyłu, w niebieskich ogrodniczkach. Na łysej głowie pozostało mu niewiele włosów, które są zupełnie białe, liczył wtedy prawie dziewięćdziesiąt lat. Zbliżył się sprężystym krokiem. Kiedy spojrzałam mu w twarz... ujrzałam w niej dziadka! Rozpłakałam się. Byli od siebie tak daleko: jeden całe życie w Senegalu, drugi – we Francji, a jednak mieli takie same twarze, obaj byli tak samo wysocy i pełni godności.

Ten, który mieszkał we Francji, nie zapomniał, że jego rodzinny kraj jest biedny, i pomagał swoim bliskim. Miał zdjęcia wszystkich dzieci swego brata, a więc mojej matki, jej sióstr i braci. Przebył pieszo osiemset kilometrów, dzielących jego wioskę od Thiès, żeby tam zgłosić się do wojska. Z zapartym tchem słuchałam jego opowieści o tym, jak w tamtych czasach przyjmowano do wojska: rekrutom zaglądano w zęby, badano ich muskulaturę, wzrost i wytrzymałość fizyczną. Naprawdę byli fantastyczni ci wysocy mężczyźni w mundurach; wysłano ich wszystkich na front, by bronić Francji. On poszedł na wojnę w najgorszym momencie, w 1916 roku. Wspominał straszne chwile w okopach, w których umierało wielu ludzi.

– Nie można było nawet pomóc najlepszemu koledze, który upadł, bo musiało się biec naprzód; gdy ktoś się zatrzymał, by zabrać kolegę, krzykiem rozkazywali biec dalej.

Opowiadał o zimnie, deszczu, śniegu, dniach pełnych pogrzebów. W tamtym okresie nie umiał jeszcze ani czytać, ani pisać, nie bardzo więc wiedział, gdzie się znajduje, mówił o różnych frontach, lecz nie mógł podać żadnej nazwy. O swojej rodzinnej wiosce opowiadał mi tak, jak nikt dotąd: o dzikich zwierzętach, które zabijał, by zdobyć pożywienie podczas długiej drogi do Thiès; o gazelach, bawołach, hienach i wężach...

– Nie zabiłem lwa, udało mu się uciec! Widzisz, moje dziecko, lew atakuje tylko wtedy, gdy jest głodny.

Myślałam, że tęskni za rodzinnymi stronami, i usiłowałam namówić go do wyjazdu na jakiś czas do Afryki. Ale odpowiedział:

– Wiesz, dlaczego tam nie jadę? Za każdym razem, kiedy chciałem wyjechać, coś stawało mi na przeszkodzie. Tam, w wiosce, gdy byłem mały, ktoś rzucił klątwę na dzieci mojej matki; miały rozproszyć się po świecie i już nigdy nie powrócić do ojczyzny.

Mieszkał we Francji tyle lat, a nadal wierzył w tę dziwną historię o rozproszeniu rodziny! Moje babcie także o niej wspominały, mówiły o złych urokach. Ale my, Senegalczycy, musimy pozostać razem i nigdy się nie „rozproszyć".

Stryjeczny dziadek nie miał dzieci. Po wojnie opuścił swój oddział piechoty i wstąpił do marynarki. I zakochał się w młodej normandzkiej dziewczynie, która w owym czasie miała zaledwie piętnaście lat. A normandzka rodzina nie chciała oczywiście słyszeć o tym wielkim, pięknym Murzynie, mierzącym sto dziewięćdziesiąt osiem centymetrów wzrostu. Dziewczyna jednak gorąco pragnęła go poślubić i jej rodzice w końcu ustąpili. Pobrali się na pokładzie statku. Bardzo romantyczna historia miłosna! Niestety, nie mogła mieć dzieci i zmarła o wiele za wcześnie. Później ożenił się po raz drugi z pielęgniarką, która opiekowała się nim po wypadku motocyklowym. Z tego małżeństwa również nie narodziły się dzieci. Zmarł w Normandii, mając trochę ponad sto lat; kiedy wstępował do wojska, wpisano do dokumentów przybliżoną datę jego urodzin: 1889 rok.

Często jeździłam do niego do Normandii, praktycznie co dwa, trzy miesiące. Podczas wakacji zdarzało mi się przebywać tam z dziećmi cztery tygodnie. Jakąż rozkoszą było picie mleka prosto od krowy i jedzenie wiejskich, tłustych kurczaków! Do Paryża wracałam z dużą torbą przeróżnych wiktuałów. Przywoziłam do domu świeżutką baraninę, ziemniaki, owoce, śmietanę i masło. Stryjeczny dziadek wielką miłością darzył ziemię, zupełnie jak moi dziadkowie. Ja też kocham ziemię. A ta w Normandii, tłusta i bogata, zafascynowała mnie. Był ogromny kontrast między nią a naszą ziemią w Senegalu; u nas krowy są chude, bo za całą paszę mają tylko wysuszone strąki z drzew orzechowych; zjadają nawet resztki kartonów porzuconych na skraju drogi. Opuszczając tę normandzką ziemię, wspaniałą i żyzną, zastanawiałam się nad niesprawiedliwością tego świata. Jedni mają wszystko – inni nic. Z jednej strony zielone pastwiska – z drugiej pustynia. Tutaj deszcze – gdzie indziej susza.

I obraz mojego stryjka, poślubiającego młodą Normandkę na pokładzie odpływającego statku, i tej zakochanej młodej pary – też był niesprawiedliwością.

Bo dlaczego oni, a nie ja?

Poligamia

Podczas ostatniej podróży do Afryki edukację dwóch starszych córek powierzyłam mojej rodzinie. Zapisałam je do prywatnej szkoły, a w domu miały autorytet i wzór do naśladowania: moją matkę, siostry i starszego brata. Mogły więc zrozumieć nasze korzenie, żyć tak, jak ja żyłam w ich wieku, otoczone miłością, z dala od ciągłych paryskich kłótni. Ten pierwszy etap ich pobytu w Afryce wydawał mi się absolutnie konieczny dla ich przyszłego rozwoju i egzystencji w świecie o podwójnej kulturze. Wróciły do Francji po trzech latach; w okresie ich nieobecności miałam więcej czasu, by zająć się dwojgiem młodszych dzieci.

Wtedy także moja przyrodnia siostra i jej mąż przyjechali do Paryża. Zawsze miałam z nimi bardzo dobry kontakt, a teraz przy nich czułam się szczęśliwsza i nabrałam większej ochoty do życia. Obydwoje byli weseli, ciągle się z czegoś śmialiśmy, mogłam nawet uczcić narodowe święto Francji 14 Lipca* w 1984 roku. Póź-

* Data zburzenia Bastylii.

ną nocą spacerowaliśmy po Dzielnicy Łacińskiej, wśród roztańczonych ludzi i dźwięków muzyki – mój mąż nigdy by się na coś takiego nie zgodził, gdyby nie było moich krewnych. Już od dawna nie czułam się tak swobodna, wesoła i beztroska jak tej nocy.

Szczęście, beztroska... Zapomniałam wziąć pigułkę. Opakowanie skończyło się i pomyliłam datę, żeby wziąć następne. Początek 1985 roku jest także początkiem mojej piątej ciąży, która przebiega tak źle, że w końcu trafiam do szpitala. Przebywam w ciemnym pokoju, zasłony są szczelnie zasunięte, bo cierpię na straszne migreny i bez przerwy mam nudności. Przesypiam większość czasu. Według lekarza jest to reakcja nieświadomego odrzucenia ciąży. Odrzucenie – tak, jestem tego pewna, ale nie dziecka, które ma się narodzić. To, co wtedy odczuwam – to wściekłość, złość na samą siebie, że dałam się tak złapać. Żal, że moje „nie" nie jest brane pod uwagę. Jeśli mężczyzna zmusza kobietę, świadczy to, że w ogóle jej nie kocha. Przecież on widzi, że tego nie chcę, bronię się, jak mogę, ale nic go to nie obchodzi. Czy w ogóle zdaje sobie sprawę, co oznacza użycie siły dla obrzezanej kobiety? Europejka skwitowałaby to prostym określeniem: małżeński gwałt. Ale takie pojęcie u nas nie istnieje. I czy on rozumie, co znaczy: pięć ciąż w ciągu ośmiu lat?

Podczas ostatniego badania lekarz mnie uprzedza:

– Jeśli nie urodzi pani w ciągu najbliższego tygodnia, będę musiał sztucznie wywołać poród. Niech pani dużo chodzi, jak najwięcej spacerów.

Jest sobota rano. Wychodzę z domu, mam nieodpartą ochotę na ryż z rybą po senegalsku, przyprawiony szczawiem. Przecinam bulwar de Stalingrad, kupuję potrzebne produkty, wracam do domu, gotuję i zasiadam do jedzenia. W mieszkaniu panuje głucha cisza. Mąż się już do mnie nie odzywa. Niedawno wrócił z Afryki; pojechał tam na wielotygodniową rekonwalescencję po niewielkiej operacji. Po jego powrocie udało mi się wychwycić jakieś strzępy rozmowy między nim a jednym z kuzynów, który przyszedł do nas z wizytą. Zaczynam przeczuwać, co się szykuje za moimi plecami, ale on nadal milczy. Tego sobotniego popołudnia, tuż przed porodem, zabieram dwoje najmłodszych dzieci na spacer.

– Dokąd idziesz?

– Na spacer. Pooglądam sobie wystawy jubilerów na ulicy du Temple. Lekarz kazał mi dużo chodzić, więc idę!

W ten czerwcowy dzień panuje straszny upał. Siadam z dziećmi w kawiarnianym ogródku, żeby trochę odpocząć i wypić sok z granatów. Widzę nadchodzącego męża. Podejrzewam, że już od jakiegoś czasu szykował się do oznajmienia mi, co takiego robił w Afryce. I wybrał właśnie ten dzień. Jestem przygotowana na tę rewelację, która, według niego, będzie dla mnie szokiem, a ja myślę, że nareszcie będę wolniejsza… jednak, czy dobrze się domyślam? Siada naprzeciwko mnie i mówi:

– Ożeniłem się w Afryce z drugą kobietą.

– I bardzo dobrze. Mam nadzieję, że lepiej ci się ułoży z drugą żoną.

– Ale ja nie żartuję, mówię ci szczerą prawdę.

Przypomina mi się echo pewnej rozmowy przed jego wyjazdem; jeden z jego wujków udzielał mu rad:

– Musisz wziąć sobie drugą kobietę. Wtedy ta da ci spokój.

Sądził, że bardzo źle przyjmę przyjazd kolejnej żony. Ale jedyną rzeczą, którą rzeczywiście źle przyjęłam, był sposób, w jaki mnie o tym powiadomił – na tarasie kawiarni i tuż przed porodem. To było wstrętne. I świadczy o tym, jak bezceremonialnie potrafią postępować niektórzy afrykańscy mężowie ze swoimi żonami. Gdybym go kochała, z pewnością byłabym bardzo nieszczęśliwa. Ale jest odwrotnie – czuję niewypowiedzianą ulgę. Mój sekretny plan zaczyna przybierać realne kształty. Przyjazd drugiej żony oznacza dla mnie przede wszystkim mniej obowiązków seksualnych. A zaraz potem – rozwód. Ucieczka, samolot, zwinę się stąd razem z dziećmi!

Wstaję bez słowa, płacę rachunek i wychodzę, zostawiając go samego przy stoliku.

Dwa tygodnie później rodzę małą dziewczynkę, której daję na imię Binta. I znowu jestem strasznie porozrywana – skutek obrzezania. To intymne okaleczenie, o którym wówczas nikomu nie mówię, daje o sobie znać w wyjątkowo bolesny sposób przy każdym porodzie.

Decyduję się pracować w domu jako krawcowa. Mam przecież w kieszeni odpowiedni dyplom, okazyjnie kupiłam profesjonalną maszynę i zabieram się do pracy w domowym zaciszu dla pewnej firmy zajmującej się produkcją muszek i krawatów. Otrzymuję paczki po sto lub dwieście sztuk i szyję je spokojnie u siebie, co pozwala mi zajmować się niemowlęciem. A mąż wygląda, jakby był w siódmym niebie. Jego druga żona przebywa jeszcze w Senegalu, a on przygotowuje jej przyjazd do Francji. Dowiedziałam się, że ma dopiero piętnaście lat – tyle samo co ja, gdy wychodziłam za mąż. I przypomina mi się sentencja, jaką wygłosił kiedyś do mojej siostry: „Lepiej ożenić się z kobietą niepiśmienną niż z taką, która chodziła do szkoły".

Chciał przekonać moją młodszą siostrę do tej dewizy, właśnie ją, która tak pragnęła pójść do szkoły we Francji. Zatem druga żona jest niepiśmienna i ma piętnaście lat. To zastosowanie kolejnej dewizy: „Lepiej ożenić się z bardzo młodą; nie będzie problemu z nauczeniem jej posłuszeństwa".

Pewnego dnia dzwoni do mnie pani Drakité ze stowarzyszenia CERFA.

– Organizacja do spraw imigrantów pilnie poszukuje tłumaczy.

Tylko w tych organizacjach odnajduję spokój i zapominam o kłótniach i beznadziejności mojego życia. Szyję w domu, zabieram niemowlę na kursy, gdzie uczę czytać i pisać jako wolontariuszka; ustalam zajęcia według godzin karmienia. Udzielam się również jako tłumacz; karmienie piersią nie przeszkadza mi podczas rozmów w szpitalach, w PMI*, a nawet przed sądem!

---

* PMI – stowarzyszenie zajmujące się drobnym i średnim przemysłem.

Pod koniec roku szkolnego dwie starsze córki wracają z Afryki, mam więc teraz przy sobie pięcioro dzieci i zajmuję dwa pokoje. Ten, w którym mieszkamy wspólnie, i ten, który wynajęliśmy na czas pobytu mojego ojca. Jest ciasno, ale jakoś daję sobie radę.

Nie mogę natomiast sobie poradzić z finansami. Mąż wymaga ode mnie okazania paska z wysokością pensji i dołączonego do niego czeku. Przypuszczam, że chce zaoszczędzić pieniędzy na przyjazd tej drugiej żony. A przecież wydaję na dom tyle samo co on! Odmawiam.

– Inne żony oddają swoje pensje mężom, to przecież normalne!

– Jeśli nie chcą mieć niczego dla siebie, poza stufrankowym banknotem, to ich sprawa. Ale ze mną tak się nie uda!

Zrozumiałam, że żyjące tu afrykańskie kobiety nigdy się nie buntowały tak jak ja. Dla mnie gorzej, bo muszę o siebie walczyć sama. To walka ubarwiona ciągłymi listami do rodziców, w których on wciąż się skarży na moją złą wolę. Przeprowadza rozmowy z mężczyznami z afrykańskiej społeczności, a oni podtrzymują go na duchu i radzą, jak egzekwować „prawo". Podczas tych rozmów ja się nie bronię; dobre rady płyną wartkim potokiem, mają łagodzić i wyciszyć napiętą atmosferę – a dla mnie są okrutne.

– Musisz koniecznie słuchać męża, jesteś w tym małżeństwie i w nim umrzesz. Więc bądź posłuszna mężowi! Nie masz racji!

Od czasu do czasu, kiedy mam okazję porozmawiać przez telefon z moją rodziną w Afryce, przedstawiam im moją wersję wydarzeń. A matka odpowiada mi zawsze:

– Jeśli jest, jak mówisz, to on nie ma racji.

W lutym 1986 roku mąż powiadamia mnie o przybyciu drugiej żony. Czuję się szczęśliwa. Teraz będę mogła wprowadzić w życie mój plan. Postanowiłam opuścić męża. Moja pensja jest niewielka: pięć tysięcy franków, ale razem z dodatkiem na dzieci mam nadzieję, że sobie poradzę.

Druga żona pojawia się w pełni zimy, gdy pada śnieg. Za pierwszym razem nie mogła wejść na pokład samolotu, coś było nie w porządku w jej dokumentach i wiele tygodni trwało załatwianie wszystkiego w Dakarze. W końcu przyjeżdża. Witam ją serdecznie, zapraszam koleżanki, kupuję dobre jedzenie i urządzam małe przyjęcie z okazji jej przyjazdu. Chcę pokazać mężowi, że jej przybycie jest mi zupełnie obojętne.

Kilka osób z jego otoczenia już rozpowiadało, że pewnie będę zazdrosna. No więc chcę im pokazać, jak to wygląda. Ceremonia jest wielka: przybywa sporo gości, wszystkie moje koleżanki ze stowarzyszeń, także z PMI, w domu pełno ludzi, a ona kładzie się na łóżku męża. To jeszcze dziewczynka. Niewysoka i niezbyt ładna, ale co najbardziej mnie w niej szokuje – to jej postępowanie: nie jest ani miła, ani ciepła. W ogóle się nie odzywa.

Moje dzieci, które nie rozumieją nic z tego, co się dzieje, biegają z hałasem po całym mieszkaniu. Czwartego dnia pobytu ona nadal leży w posłaniu, nawet gdy z wizytą przychodzi jej ojciec. Tego dnia moja druga córka, która ma dziewięć lat, przynosi jej do łóżka misę pełną owoców. Podaje je grzecznie, stawia koło niej. Dziewczyna się nie rusza, nie dotyka niczego, ani „dziękuję", ani „tak", ani „nie". I słyszę, jak jej ojciec zaczyna na nią krzyczeć:

– Dziecko przyszło do ciebie z owocami, a to oznacza, że rodzina serdecznie cię wita! Wstań w końcu! Zrób coś!

Może czuła się sterroryzowana, może, tak jak ja kiedyś, znalazła się w miejscu, w którym w ogóle nie chciała być. Może cierpiała, tak jak ja na początku, że musi znosić obowiązki małżeńskie z mężczyzną o wiele starszym od siebie. Dochodziły do mnie wiadomości, że zgodziła się na to małżeństwo dla pieniędzy i możliwości przyjazdu do Francji. Przypuszczam, że trzeba było dać jej jakieś dwa czy trzy tysiące franków. To dziewczyna z wioski, jedna z moich siostrzenic, a więc z rodziny, i tak jak ja z plemienia Soninké. Obserwuję ją przez uchylone drzwi; twarz zacięta, ponura i niezadowolona. Gdyby była sympatyczna, mogłabym jej współczuć – przecież znalazła się w takiej samej pułapce jak ja i też w wieku piętnastu lat. Nie zamierzam jednak rozczulać się nad nią; wszyscy są zdumieni jej zachowaniem. Od pierwszych dni wyczuwam, że nie będzie ani moją przyjaciółką, ani sprzymierzeńcem. Przypuszczam, że przed przyjazdem do Paryża wbiła sobie do głowy, że życie z jeszcze jedną żoną to spotkanie z przeciwniczką i należy z nią walczyć. Zresztą wkrótce naprawdę stała się moim wrogiem, i to z powodu zupełnych błahostek.

Chciałam porozmawiać z nią na temat stosunków seksualnych; uważałam, że jest to najważniejsza sprawa. Nie zamierzałam jednak osobiście prowadzić tej rozmowy, poprosiłam o to kobietę z kasty; taki jest obyczaj.

– Powiedz jej, że zostawiam jej męża, przynajmniej przez dwa miesiące może zatrzymać go wyłącznie dla siebie.

Jednak trzy tygodnie później odpowiada mi, za pośrednictwem tej samej kobiety:

– Druga żona mówi, że teraz będziecie z nim sypiać każda po kolei.

Rozumiem, że, niestety, w tej dziedzinie jej także się z nim nie układa.

Jest taka młoda, wziął ją jako obrzezaną dziewicę i teraz wymaga od niej intymnych zbliżeń co noc, a ona tego nie wytrzymuje. Mam pecha! W tej sytuacji muszę jej odpowiedzieć:

– Dobrze, będzie spał dwie noce z tobą i dwie noce ze mną.

Budzi się we mnie uczucie nienawiści. Już nigdy więcej nie chcę widzieć go w moim łóżku. Udaję się do ginekologa i proszę o przepisanie mi środków antykoncepcyjnych. Będę więc nadal brała pigułkę, tym razem mam to mocno wyryte w pamięci, nie ma mowy, żebym znów zapomniała.

Prawie ze sobą nie rozmawiamy. Ona niemal natychmiast zachodzi w ciążę i wydaje na świat dziewczynkę. Przebywa ciągle w swoim pokoju – ja w moim. Nasze rozmowy ograniczają się do „dzień dobry" i „czas na posiłek"; nie jesteśmy ani przyjaciółkami, ani wrogami.

Najgorzej jest wtedy, kiedy między nimi coś się nie układa, ona chyba protestuje w łóżku albo poza nim. Nic o tym nie wiem,

wiem natomiast, zawsze przez „afrykański telefon", że ona daje się podstępnie bałamucić mężowi. On zaczyna robić jej klasyczne pranie mózgu, osacza ją groźbami typu: „Jeśli będziesz tu wyprawiała jakieś historie, to moja pierwsza żona odeśle cię do Afryki. Dla niej to nic trudnego, przecież nie masz papierów!".

Opowiada jej, że we Francji drugie żony są odsyłane do domu. Pierwsze żony uważają siebie za coś lepszego i robią mężom nieustanne awantury... A więc ona, oczywiście, nie odzywa się do mnie, nie zadaje żadnych pytań, wierzy we wszystko, co on sączy jej do ucha.

Mogę wysłać ją do Afryki, jestem wrogiem i źródłem wszystkich jej nieszczęść. W związkach poligamicznych niektórzy mężczyźni stosują starą, sprawdzoną zasadę: dziel i rządź.

W mojej rodzinie nigdy nie zetknęłam się z wojną tego rodzaju, ani u dziadka, ani u rodziców. Wynikiem takiego postępowania mojego męża jest to, że teraz młodsza żona uważa się za panią domu, królową, a mną po prostu gardzi. Nie dzieli się niczym, ani ze mną, ani z moimi dziećmi.

Była w ciąży i urodziła dziecko – z tego powodu otrzymuje niewielki zasiłek rodzinny [sądzę, że jakieś sześćset franków], który mąż wspaniałomyślnie pozostawia jej do dyspozycji. Ale za moje pięcioro dzieci cały zasiłek bierze dla siebie! To prawda, robi zakupy dla domu, ale ja nie mam ani grosza. A przecież to ja kupuję dzieciom ubrania, buty, wszystko, co jest potrzebne w szkole. I nic nie mówię. Ale wystarczy moja jakaś mała wzmianka, żeby rozpoczęła się kłótnia.

Mam dosyć życia w takiej atmosferze i wychowywania w niej dzieci. Moja druga córka – miała wtedy dziewięć lat – stanęła pewnego dnia przed ojcem:

– Jeśli jeszcze raz dotkniesz mamy, to cię uderzę.

Roześmiał się albo udał, że się śmieje, jednak to wystąpienie trochę go wyciszyło. I chce z całej siły przekonać swoje otoczenie i moją rodzinę, że jeśli źle się układa w naszym domu, to wyłącznie dlatego, iż jestem zazdrosna i złośliwa. Tak mu nakazuje samcza duma. Nigdy nie przyjmie do wiadomości, że go nie kocham. Ta druga chyba zresztą też nie. I chociaż stosunki seksualne budzą we mnie obrzydzenie – a w tamtych czasach nie miałam jeszcze odpowiedniego doświadczenia, nie byłam wolna jak inne kobiety... to przez szacunek dla siebie samej i dla moich dzieci nie będę zagłębiać się w szczegóły, skupię się na innych sprawach.

Jestem na skraju wyczerpania nerwowego i razem z dziećmi wyjeżdżam na krótkie wakacje do Normandii. Stryjeczny dziadek, jego pola, ogród, łąki i pasące się na nich krowy, świeże mleko i dobre serce tego człowieka, uprzejmość sąsiadów – to wszystko dobrze nam zrobiło. Niestety, wkrótce spotyka mnie straszne nieszczęście. Okrutne przeznaczenie.

Merostwo w naszej dzielnicy organizuje wyjazd nad morze; zapisałam się na to wraz z dziećmi. Zaproponowałam nawet wyjazd drugiej żonie z niemowlęciem, chciałam przyzwyczaić ją do życia we Francji i pokazać, że wcale nie jestem jej wrogiem. Przygotowujemy lodówkę turystyczną i prowiant na drogę: kanapki, rogaliki na drugie śniadanie. Wyjeżdżamy autokarem. Po drodze organizatorzy proponują postój w małej kawiarni na skraju drogi. Wszyscy lokują się przy stolikach z dziećmi. Nagle moja córka mówi:

– Mamo, zostawiliśmy rogaliki w autokarze, pójdę po nie.

Wychodzi. Minutę później słyszę przerażający krzyk i pisk opon.

Jakiś samochód pędził przez wioskę. O wiele za szybko. W ciągu dziesięciu minut przybywa pomoc medyczna. Chłopak, który najechał na moją córkę, nie przestaje powtarzać:

– Proszę pani, nie zrobiłem tego umyślnie, nie zrobiłem tego umyślnie!

Odwożą moją maleńką do szpitala. Jest w śpiączce. Została uderzona w głowę, ale nie widać krwi. Trzeba zrobić jej tomografię; ona śpi, pielęgniarki ją kłują, żeby się przebudziła, nie powinna spać, nie powinna...

Dzwonię do męża, do Paryża. Mija czwartek, przyjeżdża w piątek rano. Lekarz dzwoni ze swojego gabinetu do Paryża. Pyta, czy szpital Beaujon może przyjąć moją córkę, potrzebny jest także helikopter do transportu. Słucham, jak tłumaczy swoją bezradność:

– Tu na miejscu nie możemy nic zrobić, w mózgu jest skrzep...

Bardzo dobrze wiedział, że nie da się dla niej już nic zrobić.

Wchodzę do jej pokoju, pochylam się nad nią, dotykam; jest nieruchoma.

I w tym momencie coś się we mnie urwało, rąbnęło, poczułam to wyraźnie, zaczynam krzyczeć: „Ależ ona nie żyje!".

Przybiegły pielęgniarki z aparaturą do reanimacji, było już za późno.

Musiałam dostać zastrzyk, żeby się uspokoić.

Miała dziesięć lat, dwa miesiące i dziesięć dni. I tak od nas odeszła. Wystarczyła minuta, pisk opon i już nie ma mojej dziewczynki. Odeszła z jasną twarzą, jakby tylko spokojnie zasnęła.

Wróciłam do Paryża kompletnie wykończona. Utrata dziecka jest najgorszą rzeczą, jaka może spotkać matkę. Uczucie straszliwej pustki i osamotnienia.

W merostwie zaproponowano mi pochowanie mojej dziewczynki tu na miejscu, we Francji. Jednak moja rodzina pyta, czy byłoby możliwe, aby pogrzeb odbył się w Afryce; wszyscy chcieli się z nią pożegnać. Porozmawiałam o tym z odpowiednimi urzędnikami; wyrażono zgodę i sfinansowano transport. Dostałam bilet lotniczy na wyjazd do Senegalu. Wtedy jeszcze bardziej znienawidziłam mężczyzn z afrykańskiego środowiska mojego męża. Dosłownie w ostatniej chwili, w przeddzień wyjazdu, oznajmili: „To jej ojciec powinien pojechać z trumną, nie matka. Kobieta powinna zostać w domu. Gdyby były dwa bilety – to co innego. Ale ponieważ jest tylko jeden, pojedzie ojciec!".

I pojechał z trumną córki, a ja zostałam w domu, płacząc jak dziecko.

Nigdy im tego nie wybaczyłam, moja matka też nie. Czułam ogromną potrzebę bycia razem z ciałem mojego dziecka, towarzyszenia mu w drodze do rodzinnego kraju. Chciałam zobaczyć się z matką i razem z nią przeżywać żałobę. Tyle myśli tłukło mi się w głowie! Mężczyzna, ojciec, zawsze mężczyzna, który nie cierpiał podczas porodu, a teraz nawet nie dopuszczał do siebie myśli, że mógłby ustąpić miejsca matce lub po prostu kupić jej dodatkowy bilet. Mężczyźni naprawdę niczego nie rozumieją, nie wiedzą, co to miłość matki, i jakim szacunkiem powinni ją darzyć.

Dzieci, zawsze tak radosne i beztroskie, zamknęły się w sobie. Najmłodsza miała dwa lata. Mówiła:

– Kiné wyjechała, szpital, wyjechała, szpital.

Teraz już nie pamięta.

Byłam bardzo przygnębiona; trzy miesiące później kupiłam bilet i pojechałam na miesiąc, na grób mojej córki. Na szczęście mocno wierzę w Boga, na szczęście mam przyjaciół, oni potrafili mi pomóc, znaleźli właściwe słowa. Bo jednak część społeczności afrykańskiej uznała, że w jakimś stopniu ja jestem winna tej śmierci, ponoszę odpowiedzialność za ten dramat. Według nich popełniałam błędy, bo chciałam żyć tak jak biali i wszędzie zabierać ze sobą dzieci. W tamtych czasach odnosiłam takie wrażenie.

Było mi wtedy niezwykle ciężko. Chodziłam po ulicach; bywało, że kobiety zwracały się do mnie:

– Widziałam cię wczoraj i powiedziałam dzień dobry. Nawet nie odpowiedziałaś.

Nie widziałam mijających mnie ludzi. Byłam w depresji, głębokiej i długotrwałej.

Nie chciałam patrzeć na męża; dla mnie to był już koniec. Śmierć dziecka i wszystko to, co działo się potem, podczas żałoby, ostatecznie mi go obrzydziło. Nie chciałam już tkwić w tym małżeństwie, miałam dosyć! Wiedziałam, że gdzieś w mieście jest afrykańska kancelaria adwokacka; wkrótce ją wytropiłam. Kiedy moje najmłodsze dziecko, małą Bintę, przyjęto do przedszkola, rozpoczęłam kroki rozwodowe. Najpierw powiadomiłam o tym mojego męża – roześmiał mi się w nos.

Spotykam się z czarnoskórym adwokatem i muszę mu zapłacić zaliczkę na przyszłe honorarium. Nie mam przy sobie wiele pieniędzy, ale obiecuję przynieść moje oszczędności w następnym tygodniu. I wtedy spotykam marokańską przyjaciółkę, która również pragnie się rozwieźć. Właśnie wychodzi ze szpitala. Mąż ją pobił i wypchnął przez okno, na szczęście mieszkają na parterze. Ma złamaną nogę!

To spotkanie dało mi wiele do myślenia. Mój mąż zaczyna być coraz bardziej gwałtowny i agresywny. Przez pierwsze lata małżeństwa tak się nie zachowywał. Pobił mnie wiele razy, zwłaszcza kiedy druga żona wtrącała się do naszych kłótni. Jestem tą zazdrosną, złą, podłą. Tylko że ja nie jestem pasywna. Kiedy ostatnim razem mnie zbił, poszłam do przychodni lekarskiej i otrzymałam odpowiednie zaświadczenia. Mój adwokat ma je w swoich papierach. I oto miesiąc później jesteśmy wezwani do sądu.

Matka powiedziała mi pewnego dnia:

– Tylko nie mieszaj do tego drugiej żony, ona nic ci nie zrobiła!

– Ależ ja też nic jej nie zrobiłam!

– Dzwoniono do mnie, że ciągle robisz jej na złość.

– Zapewniam cię, że nie!

A więc miał czelność zadzwonić do mojej matki i naopowiadać różnych kłamstw. Ale nie znał jej dobrze. Był przekonany, że moi rodzice, jak niestety wielu afrykańskich rodziców, wysłuchają tylko wersji męża; moi rodzice nigdy nie brali mojej strony, ale przynajmniej się zastanawiali. Często, kiedy córka chce się rozwieźć, robią wszystko, by jej w tym przeszkodzić, a nawet zdarza się, że ją biją, aby powróciła do „mężowskiego domu".

Ale z moimi rodzicami tak nie było. Skoro mówiłam matce, że nic takiego nie robiłam, to ona mi wierzyła, miała do mnie zaufanie. Jednak nawet wtedy nie zajmowała stanowiska. Tymczasem druga żona zaczynała naprawdę działać mi na nerwy. Chciała zająć moje miejsce? Ależ proszę bardzo, z przyjemnością, tylko mogła to robić nie tak prymitywnie i małostkowo. Kupiła na przykład długi kabel i zabrała telefon z mojego pokoju do swojego. Zajął się tym mój mąż, chciał, żeby mogła dzwonić do rodziny, w dodatku po bardzo dobrej cenie, ponieważ abonament był na moje nazwisko. Obydwoje korzystali z zasiłku rodzinnego moich dzieci; mnie pozostawała jedynie niewielka pensja tłumacza, i to mi miało wystarczyć. Kiedyś naprawdę tak mnie zezłościła, że powiedziałam do męża:

– Jeśli nie przestanie mi dokuczać i robić różne świństwa, to nawet nie wyobraża sobie, w jakim stanie wróci do Senegalu.

Doprowadziła mnie do ostateczności, dziś już nawet nie pamiętam, o co wtedy poszło.

Ta kobieta do tego stopnia traktowała mnie jak najgorszego wroga, że kiedy pojechałam do Senegalu na grób mojej córki, poprosiłam nie ją, lecz kuzynkę o zajęcie się pozostałymi dziećmi. Nie miałam do niej zaufania, widziałam, że je nienawidzi.

Poligamia jest w Senegalu dawnym obyczajem, nie mam zamiaru z nią walczyć, jest mi obojętna. Tylko że kobiety mieszkają każda u siebie [to nowa forma poligamii w moim kraju]. Natomiast mówię „nie" poligamii w Europie! Rujnuje ona stosunki międzyludzkie i ma zły wpływ na dzieci. Dzisiaj poligamiczne rodziny: dwie lub nawet trzy, gnieżdżą się w niewielkim M4, podczas gdy dzieci powinny mieć pokój dla siebie i możliwość spokojnego odrabiania lekcji. Ale nie mają takiego „przywileju"; jeśli jest jakiś pokój – zajmuje go druga kobieta, a dzieci niech radzą sobie same. Matki bez przerwy rywalizują między sobą na maleńkiej przestrzeni bez odrobiny komfortu i jedynie mąż korzysta z sytuacji.

I mężczyźni będą korzystać aż do chwili, kiedy kobiety afrykańskie nie odmówią uczestnictwa w takim układzie, który w ogóle nie liczy się z ich potrzebami. Cel takich małżeństw bowiem jest naprawdę tylko jeden: płodzić jak najwięcej dzieci, co rok prorok, a potem dostawać na nie dodatek rodzinny, z którego matki nie dostają ani grosza. Mąż rządzi pieniędzmi i całym domem. To prawdziwe niewolnictwo! Nowe kopalnie złota. Bo większość żyjących w poligamii afrykańskich kobiet nie potrafi ani czytać, ani pisać przez pierwsze lata przebywania na emigracji; większość też przyjeżdża bez odpowiednich dokumentów. Dostają je dopiero po urodzeniu pierwszego dziecka na terytorium francuskim.

Rzadko można spotkać kobiety, które pragną wrócić do rodzinnego kraju; one nie chcą żyć tak, jak tam się żyje. Znałam tylko kilka takich, które postanowiły to uczynić; ale cała reszta nie zamierza nigdzie wyjeżdżać. Tłumaczą:

– Tutaj mam to, czego tam nie mam! Nie muszę chodzić po wodę, po drewno, młócić ziarna…

Można to zrozumieć. Ale wiem także, iż warunki, w jakich kobiety żyją we Francji, byłyby nie do przyjęcia w Afryce: jeden pokój, jedno łóżko; jedna na nim śpi, druga kładzie się na podłodze w kuchni, razem z dziećmi. Żadne bogactwa świata nie są warte takiej mordęgi. I te małe dziewczynki, kastrowane podczas wakacji w Afryce, wydawane siłą za mąż, żeby wiodły takie samo życie, w tych samych warunkach co ich matki! I mali chłopcy w samym środku takiego życia, w tym zamkniętym wszechświecie, w którym nauczą się tylko postawy poligamicznego samca. Wzrastają bez żadnych ambicji, bez otworzenia się na świat, gotowi tylko do reprodukcji jak ich ojcowie i dziadkowie.

Pewnego dnia doszły mnie słuchy o „rozparcelowaniu". W niektórych francuskich miastach mężczyzna, który posiada dwie, czasem trzy żony i dziesięcioro, często piętnaścioro dzieci w M4, może zwrócić się do władz dzielnicy o przyznanie innego mieszkania. Pod jednym warunkiem: musi się rozwieść. Hipokryzja tej sytuacji wydała mi się bardziej niż oczywista. Owszem, mąż przedstawi akt rozwodu, ale w rzeczywistości nigdy nie będzie rozwodnikiem, ponieważ ślub cywilny jest u nas czystą formalnością! Liczy się tylko małżeństwo religijne.

Francja uważa, że może rozwiązać ten problem w sposób techniczny i jednocześnie elegancki. Jednak praktycznie jest to niemożliwe ze względu na różnice kulturowe; kobiety te bowiem są całkowicie ubezwłasnowolnione i dla nich to jedyny sposób na przeżycie.

Zadaję sobie pytanie, co by powiedziały, gdyby je spytać, czego tak naprawdę pragną.

Należę do poligamicznej rodziny. Mój ojciec miał szesnaścioro żyjących dzieci. Nie znałam takiej poligamii, jaka istnieje we Francji. Na moje szczęście matka mieszkała sama razem z nami. Tę poligamię znaliśmy właściwie z daleka. Od czasu do czasu jeździliśmy złożyć wizytę pozostałym żonom i ich dzieciom, ale nigdy nie mieszkaliśmy z nimi. Zdarza się, że dzieci z różnych matek nie łączą rodzinne uczucia. Ale to dlatego, że matki nieświadomie przenoszą na swe dzieci własne lęki i nieufność. U nas każde dziecko jest *faba rémé* [w języku *soninké* oznacza to „dziecko ojca"], aby usprawiedliwić fakt, że liczy się jedynie ojciec. Stosunki rodzinne opierają się na tym założeniu, z całym bagażem zazdrości i podejrzliwości. Nieufność matek ma tu także swoje źródło: boją się, że dzieci innej żony nigdy nie będą szczere wobec ich potomków.

We Francji poligamia jest zabroniona, lecz państwo wybrało drogę tolerancji i już za późno, by wrócić do przeszłości. Te drugie afrykańskie żony, zwłaszcza z tak zwanej Czarnej Afryki, przyjeżdżające za pośrednictwem przeróżnych członków rodziny, nie są tu licznie reprezentowane. Warunki mieszkaniowe i finansowe są naprawdę drakońskie. A jednak wiele kobiet przybywa do Francji na wakacje i już nie wraca do domu. W czasie kiedy ja tu przyjechałam, dowód osobisty miał duży format i można było złożyć go jak gazetę. Dokument był w jednolitym kolorze i praktycznie każdy mógł z nim podróżować, nikt nie zaglądał do środka. Policjanci nawet nie patrzyli na zdjęcie, sprawdzali jedynie datę ważności. Dla nich wszyscy czarni byli jednakowi. I czarni z tego korzystali. A Bóg jeden wie, że wcale nie jesteśmy do siebie podobni! Ale wtedy tak uważano. W ten sposób wiele kobiet afrykańskich przyjechało do Francji, posługując się dowodem pierwszej żony. Dzisiaj jest to już niemożliwe; dowody osobiste są zupełnie inne.

Najwstrętniejszą dla mnie rzeczą w „europejskim" wydaniu poligamii jest to, że korzyści z niej czerpią wyłącznie mężczyźni.

Nawet jeśli układa im się bardzo dobrze z pierwszą żoną, nie znaczy to wcale, że po jakimś czasie nie sprowadzą do domu następnej. Dziewczynki, która mogłaby być jego córką.

Tak było w moim przypadku i nie mogłam temu zapobiec; byłam skrępowana presją społeczną i rodzinną. Każde moje słowo protestu spowodowałoby oskarżenie mnie o zazdrość i odwracanie się od własnej kultury.

Łatwe oskarżenie. Życzę moim dzieciom, żeby nigdy nie musiały żyć w związku poligamicznym. Pragnęłabym również, aby dziennikarze zrobili reportaże w Afryce i we Francji, obrazujące warunki życia kobiet w takich związkach, a potem pokazali je w telewizji tych krajów. Zamiast ogłupiać ludzi coraz to nowymi serialami, zwłaszcza amerykańskimi, które pokazują, jak ludziom dobrze się żyje, dobrobyt jest w zasięgu ręki, a pieniądze łatwo zarobić. U nas wielu sądzi, że właśnie tak wygląda prawdziwe życie. Afrykańskie kobiety, które nigdy nie przestąpiły progu szkoły, mogą opowiedzieć od A do Z *Modę na sukces*.

I te same kobiety mieszkają w Paryżu lub na jego przedmieściach, zamknięte od lat niczym w getcie, i nie wiedzą nawet, gdzie jest wieża Eiffla!

Myślałam o tym wszystkim, gdy przymierzałam się do rozwodu; byłam – i nadal jestem – rewolucjonistką, w nieustannym konflikcie z otoczeniem. Rozmyślałam przez trzy długie lata, zanim wreszcie zdecydowałam się pójść do adwokata. Ale przez te lata nadal kształciłam się w dziedzinie mody. I ukrywałam, żeby nikt się nie domyślił, co zamierzam zrobić. Zrozumiałam, że nie mogę liczyć na pomoc. Kiedy próbowałam powiedzieć o moich kłopotach czy o nękającej mnie depresji komuś bliskiemu, mój mąż natychmiast to wykorzystywał, żeby mi dokuczyć. Depresja? To słowo nie miało dla niego żadnego znaczenia.

A więc rodzinne konflikty stawały się coraz poważniejsze. Oczywiście, ja je prowokowałam... W języku *soninké* byłam *guadian'gana*, czyli kimś, kto wymyśla sobie różne historie.

Pewnego dnia, kiedy nie odpowiedziałam na zadane mi pytanie – nie odzywałam się do niego od jakiegoś czasu – wymierzył policzek mojej córce. Oglądaliśmy film w telewizji, a na ekranie jakaś para całowała się czule. Skandal!

– Marsz do łóżka! Wszystkie będziecie jak wasza matka! Dziwkami!

Często obrażał mnie w obecności dzieci, nazywając dziwką.

Innego dnia następny skandal: tym razem przebywałam w szpitalu z powodu depresji. Przyszedł odwiedzić mnie dawny znajomy mojego ojca. Leżałam w dwuosobowym pokoju z drugą pacjentką. Gość usiadł na krześle obok mojego łóżka i zaczęliśmy rozmawiać. Nagle drzwi się otwierają, wchodzi mój mąż i na widok tego pana wpada we wściekłość. Co mężczyzna robi w tym pokoju? Na pewno jest moim kochankiem, a ja jestem pospolitą dziwką! Nareszcie ma dowód na potwierdzenie swoich podejrzeń! Biedny gość usiłował mu wyjaśnić całą sprawę, ale poradziłam, żeby tego nie robił, zwłaszcza że mąż tak strasznie krzyczał, iż zbiegł się personel i kazano obydwóm wyjść ze szpitala. Jednak mąż nie chciał opuścić kliniki. Byłam więc zmuszona wysłuchać do końca potwornych wyzwisk i pomówień, nie mogąc w żaden sposób zareagować. W końcu zdecydowana interwencja lekarza poskutkowała. Wyszedł, ale, co gorsza, natychmiast poleciał do męża jednej z moich malijskich przyjaciółek i opowiedział mu swoją wersję wydarzenia.

– Znalazłem mężczyznę siedzącego na jej łóżku! A nikt mi nie wierzył, kiedy mówiłem, że to zwyczajna dziwka! Ma kochanka!

Ale trafił pod zły adres. Mąż przyjaciółki odpowiedział mu spokojnie, posługując się afrykańską sentencją:

– Wydrąż głęboką dziurę i wrzuć do niej całą tę historię. I nikomu jej nie powtarzaj, jest za głupia! Nawet gdybyś pewnego dnia nakrył jakiegoś mężczyznę na twojej żonie, powinieneś się powstrzymać i załatwić sprawę bez robienia skandalu. Nie wolno ci opowiadać takich rzeczy! Dobrze wiesz, że każde małżeństwo ma jakieś problemy, ale trzeba je rozwiązywać samemu, w domu.

Nie miałam kochanka; miałam zupełnie co innego w głowie. Dla niego – coś równie skandalicznego. Postanowiłam odebrać mu dodatek rodzinny na dzieci. Doskonale zdawałam sobie sprawę z konsekwencji takiego posunięcia, wiedziałam, że rzucam się w paszczę lwa. Albo wygram, albo umrę. Dodatki rodzinne są głównym źródłem konfliktów i tragedii większości afrykańskich rodzin we Francji. Niektóre kobiety znalazły się w samolocie, lecącym do Afryki, bez grosza, bez dzieci – bo ośmieliły się protestować.

A wolność moja i dzieci właśnie od tego zależy. Nie wyobrażam sobie, że po rozwodzie mogłabym je zostawić tamtej kobiecie. Dzieci kochają ojca i on także je kocha – do tego nie zamierzam się wtrącać. Chcę tylko wyciągnąć je z trującego środowiska, niezdrowej atmosfery; niedobrej dla nich, a dla mnie śmiertelnej.

Nie wiem, skąd czerpać siłę do czekającej mnie walki, mój stan zarówno fizyczny, jak i psychiczny jest bardzo zły. Ale rzucam się na głęboką wodę, obym tylko mogła się wynurzyć i złapać trochę powietrza!

Wielki skok

Na tydzień przed podjęciem ostatecznej decyzji pójścia do adwokata przypadkiem trafiłam w telewizji na program poświęcony bitym kobietom. Zaskoczył mnie oczywisty fakt: wstydziłam się sama siebie. Ja też byłam bita i jak te kobiety z telewizyjnego programu nie miałam świadomości, że należę do grupy maltretowanych. Nawet kiedy po gwałtowniejszym biciu brałam odpowiednie zaświadczenia lekarskie, nigdy nie uważałam, że można mnie zaliczyć do tej kategorii. Jedynym moim celem był rozwód; schowałam gdzieś głęboko w podświadomości wstyd i uczucie poniżenia. I tak jak te kobiety znosiłam to wszystko, próbowałam negocjować, tak jak one milczałam, zamiast poprosić o pomoc. Jak one znalazłam się w strasznej pułapce, otumaniona niedorzecznymi argumentami, które nie pozwalały na właściwą reakcję: „Ten mężczyzna jest ojcem moich dzieci. On je kocha i nie mam prawa go ich pozbawiać. Presja otoczenia sprawia, iż czuję się winna, że tak bardzo pragnę wolności. Zarzuca mi się, że chcę być taka jak białe kobiety, biorę pigułkę i marzę o innej egzystencji dla moich dzieci".

A teraz, oglądając program, poczułam się naprawdę kobietą skrzywdzoną: bitą i eksploatowaną. Musiałam wykorzystać ten zdrowy odruch świadomości.

Najpierw adwokat, a potem – zasiłek rodzinny, który mi się należał.

Idę więc wyjaśnić mój przypadek do odpowiednich urzędów. Wiem dobrze, gdzie i jak mam załatwiać takie sprawy, przecież tyle razy pomagałam innym.

– Mój mąż bierze dodatek rodzinny, nie ja, a teraz ma drugą żonę, której co miesiąc daje siedemset franków, czyli sumę, jaka należy się jej na dziecko. Tymczasem ja mam z nim czworo dzieci i nie tylko nie dostaję od niego ani grosza, ale w dodatku często jestem bita. Nie zachowuje się, jak przystało ojcu licznej rodziny. Postępuje jak ślepiec, otumaniony przez podszepty swoich przyjaciół i drugiej żony. Co mam zrobić, żeby odebrać mu zasiłek rodzinny na moje dzieci?

– Zna pani zasady – odpowiada urzędniczka. – Zwykle tak się dzieje, że to właśnie mąż bierze zasiłek. I dopóki będziecie mieszkać razem, w tym samym mieszkaniu, nie mogę rozdzielić tych zasiłków między was dwoje. Jeśli się pani przeprowadzi albo nawet poda tylko jakiś nowy adres, wtedy będę mogła zacząć działać.

Zdobycie jakiegoś fikcyjnego adresu wcale nie jest prostą sprawą. Nie mam pieniędzy, żeby się wyprowadzić, opłacać czynsz, nie zarabiam wiele jako „dochodząca" tłumaczka. Nie mogę wykonać żadnego ruchu, jestem uziemiona, mam tylko oczy do płakania.

Ale dobry Bóg czuwa nade mną. Wysiadam z autobusu i spotykam sąsiadkę z Mali.

– Dlaczego płaczesz?

Przyrzekłam sobie kiedyś, że nigdy nie będę się nikomu zwierzać; bałam się, że moje zwierzenia mogą dostać się do niepowołanych uszu, zwłaszcza mojego męża, już często się to zdarzało, ale ta kobieta jest wykształcona i coś mnie nakłania, żeby porozmawiać z nią o moich planach.

– To proste. Urzędniczka ma rację, zatem zameldujesz się u mnie. Przygotuję ci wszystkie potrzebne papiery i praktycznie od jutra razem z dziećmi mieszkasz pod moim adresem. Zaraz napiszę odpowiednie oświadczenie. Tylko nie mów o tym nikomu, administracja załatwi całą sprawę. Wróć teraz do urzędu, porozmawiaj z tą kobietą, działaj szybko, kuj żelazo, póki gorące.

Znowu wsiadam do autobusu, tym razem w przeciwnym kierunku, jadę do urzędu zajmującego się zasiłkami rodzinnymi. Jest kolejka, muszę wziąć numerek; istnieje ryzyko, że trafię do innej urzędniczki, która może mieć inne spojrzenie na moją sprawę, czekam więc na odpowiednią chwilę, by dać znak tej, z którą rozmawiałam godzinę wcześniej. Na szczęście trafiam do jej okienka. Czyta oświadczenie mojej sąsiadki i zmienia mi miejsce zamieszkania jednym pociągnięciem pióra.

– Już w przyszłym miesiącu zasiłki rodzinne na czwórkę pani dzieci zostaną wpłacone na pani konto bankowe.

Wracam do domu i oczywiście nic nie mówię. Muszę odczekać miesiąc.

W tym czasie przyjeżdża kurier z Afryki. Osoba, od której dostaję list, nie potrafi ani pisać, ani czytać po francusku. Podyktowała go komuś innemu i przekazała mi proste, mądre słowa:

„Skończ nareszcie z narzekaniem i mazaniem się. Mieszkasz w państwie prawa. Można sądzić, że nigdy nie chodziłaś do szkoły!".

Co oznacza: walcz o swoje za pomocą legalnych środków. Jeśli wplączesz innych w tę rodzinną sprawę, każdy zajmie swoje stanowisko i nigdy się z tego nie wykaraskasz.

List mówi prawdę. Ta niedobra historia i tak trwa już o wiele za długo. Od śmierci mojej córeczki za bardzo skupiłam się na sobie i moich dzieciach. Włożyłam sobie na kark coś w rodzaju pancerza, ciężkiej skorupy i zamknęłam w niej moją depresję, aby nikt nie miał do niej dostępu; w ostatnich latach pogrążyłam się w swoim nieszczęściu i nic nie robiłam, chociaż miałam do dyspozycji legalne środki. Doszłam wreszcie do kresu wytrzymałości – nie ma sensu tak dalej żyć; mąż bez przerwy skarży się na moje, podobno niemoralne, prowadzenie się, matka nie może dłużej tego słuchać, dziadek czuje się zraniony w swojej dumie... Moja wina, że wcześniej nie zdecydowałam się na podjęcie odpowiednich kroków. Rozwód we Francji – zgoda, ale przede wszystkim muszę otrzymać unieważnienie ślubu religijnego w Senegalu. Bez tego nigdy nie będę naprawdę wolna.

Stryjeczny dziadek z Normandii radzi mi pojechać na jakiś czas do Afryki. On także ma już dość patrzenia na moje kłopoty i wyraża się dosadnie:

– Naprawdę, oboje zaczynacie wkurzać całą rodzinę! Ciągle trzeba interweniować, łagodzić coś między wami. Mówisz, że nie chcesz, żeby ktoś stawał w twojej obronie, by ktoś się wtrącał w twoje sprawy, powiedziałaś, że weźmiesz je w swoje ręce. No więc zrób to! Wyjedź, nabierz sił, porozmawiaj z matką. A ja namówię twojego męża, by ci umożliwił dysponowanie zasiłkiem rodzinnym i zorganizowanie tego wyjazdu.

Zgadzam się z pomysłem wyjazdu, ale podróż z czwórką dzieci, a potem pobyt tam przez dwa, trzy miesiące łączą się z wysokimi kosztami. Negocjacje między mężem i stryjkiem odbywają się w mojej obecności. Odpowiedź jest negatywna:

– Nie dam jej złamanego grosza. Chce jechać, niech sama sobie radzi!

Ustępuje po godzinnej dyskusji.

– Mogę zapłacić za bilety – to wszystko, co mogę zrobić. Ale nie dam jej zasiłku, nie zostawię jej nic.

Wiedziałam z góry, że z tego nigdy nie zrezygnuje. Stryjek nie nalega, wie o mojej wizycie w urzędzie, chciał jedynie wystawić go na próbę.

– No więc chcę, żebyś mi przysiągł, iż wykupisz bilety w obie strony.

– Dobra, dobra...

Nie odzywam się, ale wnioskuję z jego miny, że nie ma zamiaru spełnić obietnicy.

Kończy się miesiąc. Dziesiątego dnia następnego miesiąca mąż jak zwykle czeka na zasiłki, ale pieniądze nie wpływają. Ja wiem, dlaczego. I w ciszy napawam się tryumfem. Nadchodzi dzień, kiedy idzie upomnieć się o „swoje" pieniądze.

Tego samego wieczoru wraca z pracy, odmawia wieczorną modlitwę i głośno mnie przeklina:

– Boże, spraw, żeby wstydziła się przed ludźmi.

Wie, że go słyszę, i chce, żebym mu odpowiedziała na tę prowokację.

– Bóg jest sprawiedliwy.

To moja jedyna odpowiedź.

Nie mam ochoty na kłótnię, jestem zbyt zmęczona. Ale przede wszystkim już się nie boję.

Ani jego, ani innych. Tych, którzy oskarżają mnie o brak szacunku dla męża, bo ośmieliłam się zabrać pieniądze z zasiłku. Nawet nie staram się im tego tłumaczyć, to nie ma żadnego sensu, nawet najbardziej logiczne argumenty nie trafią im do przekonania.

– Czy dałeś mi choć litr mleka? Dałeś choćby kilogram cukru? Czy kiedykolwiek kupiłeś dzieciom buty? Nie. Więc o czym właściwie mówisz?

Następnego dnia dzwonię do matki, która mówi nagle:

– Dzisiaj dużo się tu mówi o tobie. Właśnie powiedziałam do twojej siostry, że trzeba do ciebie zatelefonować.

– A co się dzieje?

– Rano zadzwonił twój mąż i powiedział, że ukradłaś pieniądze jego drugiej żony.

– Ośmielił się powiedzieć coś podobnego!

– Można o tobie powiedzieć, moja córko, że jesteś awanturnicą, że jesteś strasznie pyskata, ale złodziejka... nie uważam, żebyś była zdolna do czegoś takiego. Jeśli jednak wzięłaś, pożyczyłaś sobie pieniądze tej kobiety, to natychmiast je zwróć. Możesz zabrać pieniądze swoich dzieci, ale nie jej!

– Przysięgam, że nawet nie dotknęłam jej pieniędzy i nigdy nie miałam zamiaru tego robić! Ależ on jest podły, jak może opowiadać podobne kłamstwa, przecież wie, że to nieprawda, dostał, jak co miesiąc, jej pieniądze na swoje konto!

Kolejny raz kłótnia jest nie do uniknięcia. Muszę, po prostu muszę mu stawić czoła, kiedy zasiał ziarenko trucizny w sercu mojej matki, całej mojej rodziny w Senegalu. Jednak nie ja zaczynam tę kłótnię.

– Poszłaś do urzędu po zasiłek i zabrałaś pieniądze.

– Tak, zrobiłam to.

– I pieniądze mojej żony!

– Jej do tego nie mieszaj, doskonale wiesz, że ich nie ruszyłam.

Tego wieczoru dostałam solidne lanie. Jak już tyle razy, kiedy nie chciałam mieć go w moim łóżku, a właśnie przypadała moja kolej. Jest fizycznie dużo silniejszy ode mnie, nie miałam szans przeciwstawić się małżeńskiemu gwałtowi.

Przyjmuję bicie z pewnego rodzaju fatalizmem, jest mi wszystko jedno, nic mnie nie obchodzi, powoli przygotowuję podróż do Afryki. Mąż nie chce słyszeć o obietnicy danej stryjowi, który odgrywa rolę rodzinnego patriarchy w zastępstwie dziadka.

Pewnego ranka, kiedy zbliża się termin wezwania do sądu, dostaję pismo z konsulatu Senegalu w Paryżu. Wzywa mnie do siebie asystentka socjalna – to jej reakcja na pismo męża, który domaga się spotkania pojednawczego, ciągle chodzi mu o zasiłki rodzinne! Czuły punkt w tej całej wojnie...

Przychodzi w towarzystwie jednego z kuzynów, który należy także do mojej rodziny. Lubiłam go kiedyś, uważałam, że zachowuje neutralność. Ale teraz przeszedł na wrogą mi stronę i świadczy przeciwko mnie.

Jestem więc sama przed urzędniczką i mam przeciw sobie ich dwóch.

– A więc wzięła pani zasiłki rodzinne swoich dzieci, a także dzieci drugiej żony…

Nie zdążyła dokończyć zdania, łzy pociekły mi po policzkach.

– A czy pani zadzwoniła, żeby się dowiedzieć, jak naprawdę było? Wzięłam pieniądze na moje dzieci, nie zaprzeczam, ale nie dotknęłam żadnych innych! Przecież może pani to łatwo sprawdzić!

Obaj mężczyźni nie pozwalają mi skończyć, zaczynają mnie przekrzykiwać. To nie do wytrzymania, zdaję sobie sprawę z mierności tej historii, w której chodzi jedynie o pieniądze; miernoty tych dwóch mężczyzn, przedstawicieli mojego narodu. Wstydzę się za nich, czuję się strasznie upokorzona, że zostaję oskarżona również o kradzież.

Wstaję.

– Proszę pani, nie wolno wstawać! Tak nie można!

– Proszę mi wybaczyć, to nie jest brak szacunku, ale nie mogę znieść oskarżeń tego typu. Do widzenia.

I wyszłam. Pozostał sąd. Adwokat poinformował mnie, że mój mąż z pewnością dostał już wezwanie, ale nic mi o tym nie mówi. Dowiedziałam się znacznie później, że – ciągle za radą tych samych przyjaciół – postanowił w ogóle nie stawić się w sądzie.

– To twoja żona! Trybunał francuski nie może udzielić wam rozwodu!

Zbliża się data mojego wyjazdu, na szczęście rozprawa ma się odbyć dwa tygodnie wcześniej. Mąż kupił mi bilety na podróż, ale nie podał daty wyjazdu, dowiedziałam się o tym na tydzień przed podróżą. Oczywiście trzymał bilety przy sobie. Już w ogóle nie rozmawiamy. Staram się ze wszystkich sił oszczędzić dzieciom kolejnych kłótni; siadają do posiłku beze mnie, zanim ojciec wróci z pracy. Tłumaczę im, najlepiej jak potrafię, że ta wojna dotyczy tylko rodziców, nie dzieci. Rodzice zawsze bardzo kochają swoje dzieci, nawet jeśli sami nie potrafią się ze sobą zgodzić… Myślę, że mnie rozumieją, zwłaszcza od czasu, gdy byłam chora, w depresji i nieszczęśliwa; sądzę, że moje dzieci także pragną jakiegoś rozwiązania, chcą i potrzebują żyć inaczej.

Przygotowuję się do podróży i w wyznaczonym terminie stawiam się przed trybunałem; trzęsę się ze strachu niczym liść na wietrze. Adwokat mnie powiadomił, że począwszy od tego dnia, mogę przynajmniej uzyskać separację „od stołu i łoża", a rozwód będzie sprawą późniejszą. Stara się mnie uspokoić, dodać sił:

– Proszę się nie martwić, jeśli mąż się stawi, to dobrze; jeśli nie – tym gorzej dla niego. Otrzymał wezwanie i sędzia zrobi, co do niego należy, bez względu na to, czy mąż przyjedzie, czy nie.

Sędzia stwierdza nieobecność małżonka, zagląda do papierów i ogłasza separację. Sędzia jest kobietą, nie zadaje mi wielu pytań. Zapoznała się z zaświadczeniami lekarskimi, zapytała mnie po prostu, czy nadal podtrzymuję złożony do sądu wniosek.

– Bardziej niż kiedykolwiek, proszę pani.

– W porządku. Mąż nie będzie miał prawa przekroczyć progu pani mieszkania. I pani zachowuje opiekę nad dziećmi, ich ojciec będzie mógł widzieć się z nimi co drugi weekend i przez część wakacji...

Już nie słyszę dalszego ciągu – wygrałam! Sentencji wyroku nie dostaje się tak szybko, ale, nie wiem jakim cudem, mój adwokat otrzymuje go wkrótce po rozprawie i przywozi mi papier rano, dokładnie w dniu mojego wyjazdu.

Posiadanie tego dokumentu jest dla mnie bardzo ważne. Chcę wziąć go ze sobą do Afryki i pokazać moim rodzicom. Mój wyjazd przypomina ucieczkę. Nawet nie wiem, czy kiedyś tu wrócę – czeka mnie jeszcze tyle skomplikowanych spraw. Patrzę na mój pokój: łóżko, szafa... sama wszystko kupiłam i serce mi krwawi na myśl, że to im zostawiam. A on nie pozwala mi nawet zabrać ze sobą telewizora. W Afryce jest to bardzo kosztowny i luksusowy przedmiot.

– Nie wiem, kiedy wrócę, więc chciałabym go ze sobą zabrać, choćby ze względu na dzieci.

– Nie ma mowy. Jadę na lotnisko przed tobą, razem z dziećmi. Ty dojedziesz do nas taksówką.

Moja sąsiadka z Senegalu przychodzi pożegnać się ze mną i wpada na pewien pomysł.

– Za naszym domem jest niewielka fabryka, pełno tam kartonowych pudeł. Pośpiesz się, masz jeszcze trochę czasu.

Biegnę po karton, owijam telewizor w jakieś ubrania i wsiadam do taksówki. Kiedy spotykamy się na lotnisku przy rejestracji bagażu, uśmiechnął się ironicznie na widok kartonu, ale nie mógł już nic powiedzieć. Następuje ważenie bagażu, urzędniczka prosi o paszporty i bilety. I dopiero tam, przy kontuarze, zdaję sobie sprawę z ostatniej pułapki, jaką dla mnie przygotował: kupił bilety tylko w jedną stronę.

– Co to ma znaczyć?

Odpowiada złośliwym tonem, w języku *soninké*:

– Przecież jedziesz do Afryki. I co tam będziesz robić? Będziesz przyjmować u siebie mężczyzn: jeden wychodzi, drugi przychodzi. Tu zarobisz jednego franka, tam następnego…

Inaczej mówiąc, nic ode mnie nie dostaniesz: ani pensji, ani zasiłku rodzinnego, pozostanie ci tylko zarabiać na życie jako dziwka za jednego franka. Ale tego dnia czułam się zbyt szczęśliwa, by zaczynać kolejną kłótnię, zwłaszcza na lotnisku. A on w tej chwili nie myśli o dzieciach, jest wściekły i stara się jak najboleśniej mi dokuczyć, ukarać; nie zastanawia się nad tym, jaką przykrość sprawia dzieciom, wyrażając się w ten sposób o ich matce.

Do Dakaru, do domu ojca docieram pod koniec czerwca. Pierwszego dnia nie mówię o niczym; ojciec nazajutrz zaczyna pytać:

– Przyjechałaś wczoraj i nic nie powiedziałaś. Jakie są twoje stopy?

Ta tradycyjna formuła w języku *wolof* oznacza: „Jakie wiadomości przyniosły twoje stopy?”.

Przedstawiam mu ogólnie sytuację, co dzieje się między mną a mężem, przede wszystkim zaś mówię o tym, że nie mam biletów powrotnych.

– Francja nie należy do nikogo, moja córko. Jeśli dobry Bóg zechce, żebyś tam powróciła, to na pewno wrócisz. Słyszałem, co on o tobie opowiada, ale to nieważne.

W oczach ojca nie widziałam ani nienawiści, ani złości, ani wyrzutu. Wprost przeciwnie, przyjął mnie niezwykle serdecznie. Mogłam nawet spokojnie porozmawiać o tych sprawach z jego trzecią żoną.

– Słyszeliśmy, co się u was dzieje. Nawet ludzie, których wcale nie znasz, kiedy tu przyjeżdżają, opowiadają różne rzeczy. I nie myśl, że wszyscy są przeciwko tobie. Nie wszyscy są ślepi. Znamy prawdę. Wiemy też, co powiedział ci na lotnisku, że będziesz przyjmować u siebie mężczyzn. Doszło to do nas, moja córko.

Widać, że mąż bardzo się starał, żeby rodzina uważała mnie za dziwkę. Chciał mnie pohańbić, to była ostatnia broń, jaka mu została. Ale w rodzinie nikt w to nie uwierzył.

Posunął się za daleko, przesada nikomu nie wychodzi na dobre. I teraz ci, którzy do tej pory byli po jego stronie, przekonali się, że obrzydliwie kłamał. Poszłam przywitać się z jego ciotką, potem z matką i żadna z nich nie uczyniła mi najmniejszych wyrzutów. To bardzo podniosło mnie na duchu. Potem z lżejszą duszą pojechałam do Thiès spotkać się z matką i nareszcie porządnie wypocząć.

Pewnego dnia siedziałam pod mangowcem po zjedzeniu posiłku, razem z przyjaciółką mojej matki, która przyjechała w odwiedziny. Wstała, żeby powitać nieznajomego, który nagle pojawił się na podwórku.

– Ja go tu zaprosiłam – wyjaśniła.

To był wysoki mężczyzna o jasnej skórze, z plemienia *Peul*; ubrany w obszerną tunikę, na głowie miał chustę. Przyjaciółka przyjęła go w salonie i po kilku minutach zawołała moją matkę. A potem mnie. Wchodzę do salonu, nie wiedząc, co mnie czeka.

Rozegrała się klasyczna scena z głębokiej Afryki, bardzo tradycyjna. W obecności dwóch kobiet mężczyzna siada na podłodze i mówi, żebym usiadła naprzeciwko niego. Przyjaciółka matki, która wezwała go tutaj, oznajmia mi po prostu:

– Musiałam go tu wezwać, taki mam obowiązek. Jesteś dla mnie jak rodzona córka, a twoja matka jest jak siostra. I jeśli jej córka ma jakieś problemy, to są one także moje. A twoje kłopoty wszystkim nam sprawiają ogromną przykrość. Wiem, że kochasz matkę i darzysz ją szacunkiem, a ona nie chce, żebyś była smutna. Ten człowiek jest naszym przyjacielem, bardzo mi pomógł w życiu, zna dobrze swoją pracę i chcę, żeby zajrzał w twoją przyszłość.

Mężczyzna rozsypuje na podłodze piasek i rysuje na nim palcem jakieś znaki.

Ma czytać moją przyszłość w piasku; nigdy przedtem czegoś podobnego nie widziałam, słucham go więc bardzo uważnie.

– Ciągle boli cię brzuch, czy tak?

– To prawda.

– Dam ci pewne zioła, one ci pomogą.

A potem zwraca się do mojej matki:

– Przyjechała tu, bo ma kłopoty. W jej małżeństwie jest druga żona. Ten związek jest katastrofą.

Patrzy mi prosto w twarz.

– Dla ciebie to małżeństwo jest skończone. W tym związku już od dawna nie ma twojego serca. Ale mogę ci pomóc. Jeśli wrócisz do domu, będę się za ciebie modlił, żebyś miała spokój w tym małżeństwie; pod warunkiem, że tego chcesz. Nie mogę tego zrobić, jeśli nie wyrazisz zgody.

Zwraca się do matki.

– Jeśli pani zechce, mogę to dla niej zrobić. Zechce pani?

– Tylko moja córka może o tym zadecydować. Tylko ona zna „pinezki" swojego małżeńskiego łóżka.

Reakcja matki uwalnia mnie od ogromnego ciężaru. Spodziewałam się raczej, że powie mi tak, jak wiele matek przed nią: „Ma wrócić do swojego męża...".

Jednak pomimo dzielącej nas odległości zrozumiała i wyczuła moje cierpienia. Pinezki w moim łóżku! Wie, że jej córka nie zrobiła nigdy nic złego.

Niczego już nie widziałam, wszystko wokół mnie wydawało się płynne. Byłam jak w chmurze, udało mi się wykrztusić:

– Bardzo chcę, żeby mi pan pomógł, żeby dał mi pan zioła na mój brzuch, ale nie chcę tego małżeństwa.

Brzuch bolał mnie już od wielu lat; żadne badania, żadne prześwietlenia nie zdołały ustalić przyczyny bólu. W pewnym sensie nauczyłam się z nim żyć. A ten człowiek wyczytał to ze znaków na piasku.

Uzyskałam aprobatę mojej matki i to podniosło mnie na duchu: mogłam zacząć nowe życie, musiałam tylko uzbroić się w odrobinę cierpliwości.

Matka powiedziała mi jeszcze:

– Kiedy krany są zamknięte, oby pragnienie nie doprowadziło cię do picia mydlanej wody. Miej odwagę wytrzymać aż do otwarcia kranu.

Ta rada dotyczyła mojej cierpliwości, ale najważniejsze było dla mnie jej wsparcie. Dodała jeszcze:

– Mogą gadać, że zachowujesz się jak suka, niech sobie gadają; tylko nie pozwól sobie nigdy na podobne zachowanie.

Odnosiło się to do złej reputacji, o jaką starał się dla mnie mój mąż; jednak matka wolała się zabezpieczyć:

– My ci wierzymy, że mówisz prawdę – niczego nie ukradłaś i nie jesteś dziwką, ale pamiętaj, żeby nie zawieść naszego zaufania.

Zostałam w Afryce przez trzy miesiące wakacji. Dzięki zasiłkom rodzinnym, które co miesiąc wpływały na moje konto, mogłam sobie pozwolić na przyzwoite życie z dziećmi, nie obciążając rodziny.

Ale wakacje nieubłaganie zbliżały się do końca, trzeba było wracać. Dzieci musiały znów podjąć naukę. Pewnego ranka dzwoni do mnie przyjaciółka z Francji:

– Właśnie wróciłam ze szkoły, dyrektorka wezwała mnie do siebie i spytała, czy mam jakieś wiadomości od ciebie. Powiedziała, że twoich dzieci nie ma na liście na nowy rok szkolny, bo ich ojciec przyszedł do szkoły i oznajmił, że nie wrócą z Afryki. Ale nie denerwuj się – dodała – nie bardzo mu wierzy, miejsce dla dzieci jest i ma nadzieję, że wrócicie.

– Zapewnij ją, że wracamy, niech dzieci nie stracą nauki! To bardzo ważne. Robię, co mogę, żeby wrócić, zwłaszcza ze względu na dzieci.

Nie wiedziałam, skąd mam wziąć pieniądze na bilety powrotne, czekałam na jakiś cud – no i się doczekałam! Byłam z wizytą u mojej przyrodniej siostry. Ona jest nauczycielką, a jej mąż ekonomistą. Z nimi mogłam szczerze o wszystkim rozmawiać. I przyszedł tam mój starszy brat z kopertą w ręku. Przez respekt dla szwagra jemu wręczył tę kopertę.

– Wstąpiłem do banku i zaciągnąłem dla niej niewielką pożyczkę. Gdyby tu została, też dałaby sobie radę, to urodzona wojowniczka, ale dla dzieci byłaby to prawdziwa katastrofa. Może kupić bilety powrotne za te pieniądze, a zwróci mi je, kiedy będzie mogła. Liczy się przede wszystkim przyszłość dzieci.

Rozpłakałam się. Mój brat zdobył się na taki gest, chociaż jego zarobki dziennikarza były dosyć niskie. Zaciągnął kredyt dla moich dzieci!

Był bardzo oburzony zwłaszcza tym, co usłyszałam od męża na lotnisku.

Z wielkim trudem zdobywam rezerwację: to okres kiedy wszyscy wracają do Francji i samoloty są pełne. Wysyłam list do moich pracodawców, uprzedzam ich, że będę mogła zjawić się w pracy dopiero dziesiątego września, zamiast drugiego, jak się umawiałam, bo wcześniej nie ma miejsca w samolocie. Niestety, ten list nigdy nie dotarł do adresata, zarzucono mi, że nikogo nie uprzedziłam o moim spóźnieniu i w ten sposób straciłam pracę tłumacza w PMI. Zaproponowano mi jakieś zastępstwa od czasu do czasu, ale odmówiłam: ta sprawa z listem, który nigdy nie dotarł, wydała mi się mocno podejrzana. Być może skorzystano z okazji, żeby się mnie pozbyć; dość często wytykano mi, że jestem „strasznie pyskata". Bo podczas zebrań mówiłam głośno, co myślę, podczas gdy inne kobiety myślały o tym samym, ale po cichu. Kiedyś na przykład biała ginekolog powiedziała do nas:

– Nie rozumiem stanowiska niektórych moich kolegów, dotyczącego obrzezania. To staje się dla wszystkich zbyt męczące. Mówię im od dawna, żeby wreszcie dali spokój łechtaczkom afrykańskich kobiet.

Jakby to wcale nie było ważne! Zachęcała afrykańskich tłumaczy do zaniechania walki z tą barbarzyńską tradycją. Było nas kilka takich, które jednak walczyły. Informowałyśmy, przekonywałyśmy matki, żeby na to nie pozwalały. Niektórzy ginekolodzy także byli zainteresowani sprawą, a ona by chciała, żeby „dać spokój łechtaczkom afrykańskich kobiet?". No więc „rozpuściłam gębę". Miałam do tego prawo i czułam, że jest to moim obowiązkiem. Pod pretekstem „ochrony różnorodności kulturowej" ta kobieta wtrącała się do czegoś, o czym nie miała pojęcia. Chciałabym ją widzieć, siedmioletnią, na moim miejscu, z rozłożonymi nogami i zbliżającym się ostrzem żyletki!

Nie zmienia to faktu, że wracając do Paryża dziewiątego września, nie miałam już pracy.

Nikogo nie uprzedzałam o powrocie. Powiedziałam chłodno dzień dobry drugiej żonie, kiedy przechodziłam obok niej. Była chyba ogromnie zdziwiona, bo zdołała jedynie zapytać głupio:

– Jak miewa się twoja rodzina?

– Wszyscy mają się dobrze.

Otwieram drzwi mojego pokoju, dzieci stawiają swój bagaż na podłodze i widzę ją przez okno, jak leci ze swoim dzieckiem do telefonu, żeby uprzedzić męża. Jakieś pół godziny później on zjawia się w domu. Żadnych uwag czy pytań. Mówi dzień dobry normalnym tonem, jakby nic się nie wydarzyło. Wróciłam po prostu z wakacji! Dzieci są zachwycone, że widzą ojca, atmosfera wydaje się zupełnie normalna.

Przez trzy miesiące przebywałam u mojej rodziny, ale ani na chwilę nie zapomniałam o orzeczeniu sądu, że mam separację. Skoro nie było go na ostatniej rozprawie, to może nic o tym nie wie, o tym najważniejszym? Moje ciało należy teraz wyłącznie do mnie.

Woła córkę i wręcza jej banknot dwustufrankowy.

– Daj go mamie.

– Oddaj mu pieniądze, ja ich nie potrzebuję. Powiedz, że wszystko jest w porządku.

Tym razem sam zjawia się w moim pokoju.

– Nie potrzebujesz kupić jakichś rzeczy dla dzieci?

– Nie, dziękuję. Jeśli chcesz, to im daj te pieniądze.

Uprzątam pokój, układam nasze rzeczy. Jest zdumiony, ma ochotę zadać mi kilka pytań. W jaki sposób udało mi się wrócić? Nie wie. I nie będzie wiedział.

Następnego dnia dzwonię do adwokata: dokumenty są już gotowe, ostemplowane, ofrankowane, mogę po nie przyjść choćby dzisiaj. Mój mąż został o wszystkim powiadomiony.

Dzieci wracają do szkoły, do gimnazjum i do podstawówki; przynajmniej z tym nie ma kłopotu. Koniecznie muszę znaleźć jakąś pracę. Przed wyjazdem powiedziałam bratu, że daję sobie trzy miesiące – od września do grudnia – na znalezienie mieszkania dla siebie i dzieci; jeśli to mi się nie uda, wrócę do Senegalu. I mija wrzesień, potem październik i listopad – trzy miesiące niewyobrażalnej udręki. Mąż nadal chce żyć tak jak przedtem, jakby nic się nie wydarzyło; przecież wróciłam do domu! Otrzymał od sędziego dokumenty, ale jego „doradcy" nadal robią mu pranie mózgu, powtarzają, że między nami jeszcze się ułoży, a rozwód we Francji nie ma żadnego znaczenia. A on im wierzy, biedny głupiec! Prawie czuję dla niego litość.

Nie ma we mnie nienawiści, po prostu go nie kocham. Nawet kiedy staje się gwałtowny i kłótliwy – moim jedynym uczuciem jest całkowita obojętność, towarzysząca mi od samego początku.

Dwa dni po moim powrocie ma zamiar spać w moim pokoju i wchodzi do niego jak do własnego mieszkania.

– Co tutaj robisz? Dostałam separację od łoża i stołu, przecież masz dokumenty! Nie masz prawa tutaj przebywać. W ogóle nie wolno ci tu wchodzić!

Wygląda na to, że rozpętałam nową wojnę z 1914 roku!

Teraz, po latach, mogę uśmiechać się do tych wspomnień, ale wtedy zupełnie nie było mi do śmiechu.

Staje się niesłychanie gwałtowny i brutalny. Mówi, że przebywam w jego domu, a wobec tego jestem jego żoną i muszę z nim współżyć! Odpowiadam mu, że ma swoją żonę w sąsiednim pokoju, i to z nią może się przespać. Nie ma mowy, żeby wszedł do mojego łóżka.

Taka wojna trwa praktycznie co noc. Czasami jestem u kresu wytrzymałości. Niekiedy nie mam siły walczyć i zostawiam go w moim łóżku, a sama kładę się na kanapie lub na podłodze; nie pozwalam mu wygrać tej bitwy. Nigdy więcej niczego ze mną nie wygra.

Kłótnie są na porządku dziennym. Przygotowuję posiłek:

– Nie wolno ci więcej używać mojego gazu, przecież sama twierdzisz, że nie jesteś już moją żoną! Nie chcesz ze mną spać, to nie dotykaj gazu!

Nawet do głowy mu nie przyjdzie, że przecież na tym „jego gazie" gotuję dla jego dzieci. Wykonuję więc strategiczny manewr. Przywiozłam z Afryki niewielki piecyk. Kupuję w sklepie węgiel drzewny i robię coś w rodzaju grilla. On jednym kopnięciem rozwala całe urządzenie.

Po jednej z awantur spędziłam noc poza mieszkaniem, na klatce schodowej, na dole. Z posiniaczonej twarzy płynęła krew – tak bardzo mnie wtedy zbił. W pierwszym odruchu poszłam na komisariat i pokazałam orzeczenie o separacji od łoża.

Dyżurny policjant powiedział:

– Nie jest pani pokiereszowana, nie ma pośpiechu. Proszę przyjść jutro, zobaczymy, co da się zrobić.

Ani pomocy, ani pocieszenia. Byłam tak oburzona i upokorzona, że następnego dnia w ogóle tam nie poszłam. Roztrząsałam te słowa, spacerując nocą po ulicy przed komisariatem: „Wszyscy mężczyźni są tacy sami! Nie ma powodu do skargi, chyba że mąż wyłupi ci oko! I może cię maltretować, ile chce! Wszyscy mają to w nosie!".

Była północ. Płakałam na myśl, że zostawiłam w domu dzieci. Nie mogłam jednak inaczej postąpić; kiedy spadające na mnie ciosy stawały się coraz gwałtowniejsze, złapałam torbę, płaszcz i kazałam dzieciom zostać w łóżkach:

– Nie ruszajcie się stąd, ja wrócę!

Miałam nadzieję, że widząc moją posiniaczoną twarz, policja podejmie jakieś kroki, przyjdzie do mieszkania i da mu nauczkę, a mnie pomoże znaleźć jakieś lokum, w którym mogłabym się schronić z dziećmi. A teraz nie mam odwagi wrócić do domu zupełnie sama, bez żadnego wsparcia, nocą, po tym wszystkim, co się wydarzyło.

Uspokoiłam się trochę na schodach; nie zmrużyłam oka, co chwila spoglądałam na zegarek. O wpół do szóstej poszłam do metra, aby się trochę ogrzać, wsiadłam do pociągu. Na stacji końcowej przesiadłam się, żeby wrócić. I tak co najmniej trzy razy jeździłam od stacji Église de Pantin do Place d'Italie. Czekałam, aż będzie siódma trzydzieści – wtedy mogę udać się do domu. Wiedziałam, że o tej porze mąż wyjdzie do pracy.

Kiedy tak jeździłam tam i z powrotem, w głowie kołatały mi się różne myśli, targały mną najrozmaitsze uczucia: wściekłość, upokorzenie i bezsilność. Jak mogę z tym skończyć? Jak żyć gdzie indziej? Nie widziałam wyjścia. Nie miałam pracy, zarobków, mieszkania. Piekielne, zamknięte koło.

Obudziłam dzieci, wykąpałam je, zrobiłam śniadanie i wyekspediowałam do szkoły. A potem, jak co dzień, szukałam pracy i jakiegoś lokum. To stało się moją obsesją. Ciągle biegam. Nie mam pieniędzy na opłacenie adwokata i przeprowadzenie postępowania rozwodowego, proszę więc o pomoc prawną.

Tragizm mojej sytuacji nie interesuje organów administracji. Sześć miesięcy czekania na odpowiedź. Tym gorzej. Są sprawy pilniejsze: praca i mieszkanie.

Staram się nie załamywać, coś takiego w Afryce nie istnieje. We Francji dość napatrzyłam się na kobiety u kresu wytrzymałości; powoli zanurzały się w chorobę, żeby nigdy się z niej nie wynurzyć. Widziałam afrykańskie kobiety z objawami głębokiej depresji, które otoczenie traktowało jak wariatki. Nie chcę wegetować w otoczeniu sterty leków, otępiała i bezwolna. To nie leży w moim charakterze. Po śmierci córki byłam w depresji, ale w jakiś czas po okresie żałoby pokonałam ją, chociaż pamięć pozostanie na zawsze.

Chcę walczyć, jakoś się tu urządzić z czwórką dzieci lub wrócić do korzeni, do rodziny. Przecież sama to sobie obiecałam. Nie chcę już być ofiarą, osobą podległą i pasywną. W Senegalu mówi się: „Uprawiaj swoje pole; jeśli pozostaniesz w łóżku, dobry Bóg nie zajmie się twoją uprawą”.

Mieszkanie łez

Nie przestaję chodzić, biegać od jednej organizacji wzajemnej pomocy do drugiej; jedną z nich sama zresztą stworzyłam w 1988 roku. Udzielam w niej lekcji szycia, uczę czytać i pisać; bardzo tego potrzebuję, bo pomagając innym – pomagam także sobie. Jeśli przestanę walczyć, zrezygnuję, obawiam się, że wszystko stanie mi się obojętne. To mój sposób uprawiania pola.

Jedynym stałym elementem mojej egzystencji są dzieci. Przebywają cały dzień w szkole; w południe jedzą w stołówce, którą opłacam z własnych pieniędzy. Nauczyciele i opiekunowie wiedzą o mojej sytuacji, ale są dyskretni. Widzami mojego rodzinnego spektaklu są sąsiadki z dzielnicy. Awantury i kłótnie z eksmężem wybuchają bowiem regularnie co dwa, trzy dni. Nie jestem w stanie ich uniknąć, bo nie mogę pozwolić sobie na ustępstwo. Czasem razem z dziećmi uciekam do hotelu, kiedy przemoc staje się nie do wytrzymania; mam obrzmiałą twarz, jestem regularnie bita, ale także regularnie staram się stawiać opór. Mam wolność, żyję! I pragnę ostatecznego zwycięstwa. Niech pozostanie ojcem moich dzieci, ale zapomni o tym, że jest moim „mężem". Niech wybije sobie raz na zawsze z głowy, że rozwód został wymyślony tylko dla Białych.

Używam wszystkich środków, jakie mam do dyspozycji; otrzymuję pomoc z merostwa i składam podanie o przyznanie mi mieszkania. W domu pojawiła się dwukrotnie policja, bo sąsiedzi mieli dosyć awantur, zwłaszcza moja francuska „mama", która wysyła swego męża, by uspokoił awanturnika. Pewnego dnia oboje powiedzieli do niego:

– Z tobą nie będziemy więcej rozmawiać. Mamy ciebie dosyć!

Wieczorem wezwali policję, żeby nas w końcu rozdzielić. Zaproponowano mi złożenie skargi, ale tego nie zrobiłam ze względu na dzieci. Zostałam w moim pokoju, on wrócił do swojego. Marzyła mi się wymiana zamków, ale nie było mnie na to stać, nie miałam pieniędzy. Dochody, którymi dysponowałam, były bardzo ograniczone, wystarczały zaledwie na opłaty i wyżywienie dzieci. Podawałam im posiłek około szóstej wieczorem, ponieważ ich ojciec wracał o ósmej. Aby było szybciej, kupowałam gotowe dania: pieczonego kurczaka, sałatę. Kładłam się spać z drutem do dziergania pod poduszką – broń zakrawająca na kpiny; ale gdyby przyszedł do mnie w nocy, zamierzałam go dźgnąć byle gdzie. I bardzo głęboko... Zawsze to jakaś pociecha. Spałam także z torebką, bo bez przerwy jej szukał, chciał się dobrać do dokumentów i je zniszczyć. I pomimo moich starań pewnego wieczoru udało mu się je zabrać.

Przyszedł na noc do mojego pokoju, wściekły, agresywny, a ja kolejny raz powiedziałam „nie". Złapał torebkę i wyjął z niej dowód osobisty. Następnego dnia pojechałam zobaczyć się ze stryjkiem. I było mi wstyd, tak bardzo wstyd, że zawracam mu głowę, a przede wszystkim dlatego, że ciągle muszę prosić go o pomoc.

– Co się znowu stało, że jesteś tak dziwnie ubrana?

Zadzwonił do mojego męża, a ten przysięgał, że w ogóle nie ruszał moich dokumentów. Poszłam jednak na prefekturę i poprosiłam o sporządzenie duplikatu dowodu osobistego. Kilka tygodni później stryjek powiedział:

– Miałaś rację, wziął twoje dokumenty, podarł je i wyrzucił do śmieci – tak się na tobie zemścił. Opowiadał mi o tym ktoś, kto to widział.

Sądzę, że dla wymuszenia posłuszeństwa ważyłby się na wszystko: na gwałt małżeński, zabranie pieniędzy, dokumentów. I ogarniała go coraz większa wściekłość, bo nie udawało mu się mnie złamać. Wcale mnie nie kochał; chciał jedynie być panem i władcą.

A tymczasem im bardziej stawał się brutalny, tym większy stawiałam opór. Po jednej, wyjątkowo gwałtownej nocy w domu pojawiła się pani z opieki społecznej.

– Nie mogę was tutaj zostawić. Nie mam dla was mieszkania, ale znajdę jakieś miejsce.

Poprosiłam ją, żeby poszukała czegoś na prowincji, na wsi, z dala od dzielnicy, obojętnie, w jakim miasteczku, tam gdzie mogłabym pracować w polu. Urzędniczka wróciła po południu i zabrała nas: dzieci i mnie, do domu opieki społecznej; merostwo znalazło w nim dla mnie pokój na kilka dni. Ale w owym czasie byłam bardzo naiwna, mój Boże! Zgodziłam się wysłuchać kuzyna, który przyszedł mnie „obłaskawić"; mówił o dzieciach, ich ojcu, o złej reputacji, jaką przynosiłam rodzinie. Sprawił, że poczułam się naprawdę winna!

No i uległam jego namowom. Gdybym nie opuściła domu opieki społecznej, może znalazłabym się gdzieś z dala od Paryża i rozpoczęłabym nowe życie. Pokój, w którym mnie z dziećmi umieszczono, nie był zbyt wygodny, ale przynajmniej czułam się tam wolna, spokojna i nikt mnie nie bił. Zamiast to zachować, wróciłam do domu, gdzie czekała mnie przemoc. Skazałam się ponownie na ciszę; przecież powiedziałam mężowi, że więcej się do niego nie odezwę. Ale czy walczyłam słowami, czy ciszą – i tak wychodziło na jedno: dostawałam swoją porcję razów.

Z tamtego okresu pozostała mi twarda skorupa, w którą się opancerzyłam. Przy mnie wybucha jakaś kłótnia? Nie szkodzi, nie odzywam się, bo nie warto.

Pewnego dnia jeden z dalszych kuzynów mi zaproponował, żebym przez jakiś czas razem z dziećmi pobyła u niego; chciał załagodzić sytuację. Mieszkał w Yvelines. Nie miałam pracy, dzieci miały wolne z okazji Święta Zmarłych, więc się zgodziłam. Zaczynałam tracić zaufanie do siebie samej. Jeśli nie znajdę jakiegoś lokum, to naprawdę się załamię. Zwłaszcza że nie mówiłam nic matce o przemocy, jaka mnie spotykała. Już za wiele się wydarzyło i było mi po prostu wstyd. Mogłam złożyć skargę na policji, iść do biura opieki społecznej, ale nie mogłam poskarżyć się matce. W 1989 roku nie byłam jedyną afrykańską kobietą w podobnej sytuacji, ale wtedy w ogóle mało się mówiło o przemocy w rodzinie; fakty poniżania i bicia utrzymywano w wielkiej tajemnicy. Po nocnym biciu starałam się następnego dnia rano zamaskować tego ślady. I biegałam; biegałam do merostwa z prośbami o mieszkanie i o pomoc w znalezieniu pracy.

Zostałam u kuzyna kilka dni. Trudno jest przebywać u kogoś dłużej z czwórką dzieci, kiedy nie ma się grosza przy duszy.

Ale nawet takie krótkie przebywanie poza domem dla dzieci było zbawienne. Pod koniec piątego dnia pobytu, w piątek, pojechałam do Paryża; chciałam sprawdzić, czy na konto wpłynęły już pieniądze z zasiłku. Wtedy, wracając, mogłabym zrobić zakupy. Po drodze jakiś głos mi powiedział: „Powinnaś zadzwonić do merostwa, nigdy nic nie wiadomo...".

Wychodzę z metra i telefonuję do mojej opiekunki społecznej.

– Ach, to pani! Merostwo szuka pani już od czterech dni! Są tu dla pani dwa listy, nie wysyłaliśmy ich, obawiając się, że pani mąż je otworzy. Mamy dla pani propozycję mieszkania!

Wzruszenie podchodzi mi do gardła, o mało nie zemdlałam w kabinie telefonicznej.

– Co takiego? Proszę powtórzyć! Już idę, idę, zaraz u pani będę!

– A gdzie się pani podziewała przez te dni?

– Schroniłam się u kuzyna.

– Nie wiedzieliśmy, co się z panią dzieje. Wczoraj jedna z koleżanek wstąpiła do pani. Próbowaliśmy kilkakrotnie skontaktować się z panią – bez skutku; myśleliśmy, że mąż odesłał panią do kraju.

Biegnę do banku: pieniądze wpłynęły już na moje konto. Podejmuję połowę tej sumy i wskakuję do taksówki, za którą płacę aż dwieście franków. Czyste szaleństwo!

W głowie kłębią mi się najrozmaitsze myśli, za chwilę pęknie mi czaszka, nic nie słyszę; kierowca coś do mnie mówi, ale niczego nie jestem w stanie zrozumieć. Przy wysiadaniu omal się nie przewracam, tak bardzo drżą mi nogi. Biegnę do biura opiekunki społecznej.

– Zwolniły się trzy mieszkania, może pani jedno wybrać.

– Biorę to najdalsze od mojego domu!

Ona wybucha śmiechem, a ja zalewam się łzami.

– Ależ może pani obejrzeć wszystkie trzy!

– Nie, nie. Proszę mi powiedzieć, gdzie jest to najdalsze.

Jest to mieszkanie typu M5. Wybiegam z biura. Zapominam powiedzieć do widzenia, dziękuję; w drzwiach odwracam głowę i wykrzykuję słowa podziękowania. Jest południe, wszystko pozamykane. Dowiaduję się, że dozorcy nie będzie aż do trzeciej, teraz nie mogę niczego zobaczyć. Więc czekam. Nie czuję głodu, spaceruję wzdłuż budynku, który staje się moim największym skarbem. Wzięłabym to mieszkanie nawet bez oglądania, ale muszę je zobaczyć, a dopiero potem podpisać stosowne papiery.

Za dziesięć trzecia pukam do mieszkania dozorcy. Już wrócił, otwiera drzwi. Pokazuję mu dokument z merostwa, a on prowadzi mnie do mieszkania. Jest duże, puste i widać, że świeżo odnowione. Zapominam o dozorcy, siadam na podłodze na środku salonu i leję łzy niczym fontanna.

To największe zwycięstwo mojego życia! Płaczę ze szczęścia, ulgi, uczucia wyzwolenia. Koniec koszmaru. Można mnie przeklinać, mówić różne rzeczy za moimi plecami, ale już nikt nie będzie mnie bił. Jestem WOLNA!

Wracam do merostwa podpisać dokumenty. Jest problem – nie mam zaświadczenia o zarobkach. Lekcje czytania i pisania, których udzielam, są pracą charytatywną, nie dostaję za nie wynagrodzenia. Kiedyś obiecano, że będą mi zwracać za koszty przejazdu; może teraz dostanę od nich jakieś zaświadczenie o zarobkach. Biegnę więc do stowarzyszenia.

Wyjaśniam moją sprawę kierowniczce.

– Zobaczymy, co się da zrobić. Dostaliśmy trochę pieniędzy z prefektury, mogę ci teraz zapłacić za transport i wystawić odpowiednie zaświadczenie.

Zaopatrzona w trzy potrzebne dokumenty, wracam do merostwa i tydzień później zostaję wezwana do podpisania umowy najmu.

Kiedy stamtąd wyszłam, śmiałam się jak szalona, ludzie pewnie brali mnie za wariatkę! Zamiast wracać do domu, jadę do blokowiska. Niestety, jest to betonowe osiedle, ale przecież nie można mieć wszystkiego! Odbieram u dozorcy klucze i wchodzę do mieszkania, tym razem zupełnie sama, jako oficjalna lokatorka, wolna i niezależna. Muszę jeszcze raz zobaczyć te ściany, sufit, okna. Zagłębić się bez reszty w tak długo oczekiwanym uczuciu szczęścia. Trzeba przeżyć to co ja, walczyć przez całe lata o wyrwanie się z domowego więzienia, które stało się miejscem tortur psychicznych i fizycznych, żeby zrozumieć moje emocje tego niezwykłego dnia. Urzędniczki z merostwa bardzo mi pomogły, solidnie się napracowały dla mnie, a teraz ja pracuję dla dobra innych. I one o tym wiedzą. Bóg nigdy mnie nie opuścił. Zawsze był tuż obok, nawet w najgorszych chwilach, zawsze dawał mi siłę do przetrwania. Jestem osobą wierzącą i za to wszystko, co dla mnie zrobił, dziękuję w codziennych modlitwach.

Wracam do domu, jestem tak szczęśliwa, że nie mogę ukryć tego przed dziećmi. Postanowiłam im powiedzieć: „Pozostawiam wam wybór. Nie mam zamiaru pozbawiać was obecności ojca. Jeśli któreś z was chce pójść ze mną – to pójdzie, a kto chce zostać tu z ojcem – niech zostanie". Nie będę wyrywać ich stąd siłą, narzucać czegokolwiek. Najstarsza córka ma trzynaście lat, młodsza – jedenaście, chłopiec – osiem, a najmłodsza – cztery; chodzi jeszcze do przedszkola. Pozostałe dzieci uczą się w szkole podstawowej i gimnazjum.

Dzieci nie mogą znieść atmosfery awantur i przemocy, jaka panuje w tym domu.

– Nie ma mowy, nie zostaniemy tutaj, idziemy z tobą, mamo!

– Ale to ma być tajemnica. Jeśli któreś z was powie tacie, że mamy własne mieszkanie, obetnę mu język!

Nie powinnam tego mówić, lecz był to jedyny sposób, żeby się nie wygadały. Tylko najmłodsza nie jest wtajemniczona. Ojciec nie może wiedzieć, gdzie będziemy mieszkać. I potrzebuję tygodnia na przeprowadzkę. Działam małymi etapami, niczym cicha i niewidoczna myszka. Kiedy dzieci idą do szkoły, pakuję ubrania i biorę taksówkę. Gdy opuszczam mieszkanie, druga żona nie może mnie zobaczyć, bo jej okna wychodzą na podwórze. Zresztą mogę wyjść nawet przez okno, nie muszę używać drzwi. Wystarczy wyrzucić pakunek na trawnik, a potem za nim wyskoczyć.

Moja francuska mama jest dopuszczona do tajemnicy. Nie mam pieniędzy na opłacenie ciężarówki; zostawiam więc w jej piwnicy wielki kufer i kilka walizek. Zabiorę je później. Powoli opróżniałam mój pokój z osobistych rzeczy i nikt niczego nie zauważył.

Nie chcę ani telewizora, ani szafy, ani tym bardziej łóżka. Jest ono uosobieniem nieszczęścia, a nieszczęście ma pozostać tutaj. Stałam się przesądna; nie chcę, żeby nieszczęście przeprowadziło się ze mną.

Zamierzam wziąć tylko ubrania – moje i dzieci – pościel i kilka przedmiotów z kuchni. Przez cały tydzień powtarzałam dzieciom, że nadal mogą decydować, że nie będę zabierać ich stąd siłą. Ale na wszelki wypadek już zapisałam je do nowej szkoły.

Wreszcie nadszedł ten wielki, ostatni dzień. Muszę jeszcze zabrać ze sobą wielką wanienkę z przyborami kuchennymi, kołdry i prześcieradła. Liczyłam na mały samochód dostawczy kolegi mojej przyjaciółki, ale odmówił w ostatniej chwili. Ciągnę więc wielki kufer do piwnicy mojej francuskiej mamy, muszę przejść przez podwórko, dokładnie pod oknem drugiej żony.

Właściwie powinna mnie zobaczyć, ale jest dziewiętnasta, pora jej ulubionego serialu; tak jest przywiązana do *Santa Barbara*, że zapomina o bożym świecie i nie przyjdzie jej do głowy, by zerknąć na podwórko.

Mąż wraca o dwudziestej. Trzeba iść. Czatuję na taksówkę przed domem. Ironia losu – taksówkarz jest Afrykaninem. Bardzo sympatycznym Malijczykiem. Wsiadam do taksówki z dziećmi, jakby nie stało się nic ważnego. To była ucieczka. Wolałabym odejść w zupełnie inny sposób, ale to niemożliwe. Niestety!

Kwadrans później jesteśmy na miejscu. Nie ma łóżek, telewizora, żadnych mebli, dopiero jutro dzięki przyjaciołom będę miała materace dla dzieci. Nie będzie telefonu. Zbyt łatwo można by mnie odnaleźć.

Uprzedziłam tylko moją matkę i stryjecznego dziadka, bo nie chciałam, by się martwili. Dowiedziałam się, że stryj telefonował do matki, mówiąc, że uciekłam z jakimś mężczyzną. Może z kierowcą taksówki?

Dano mi starą lodówkę. Czekałam na pieniądze za kursy, żeby kupić telewizor, by dzieci nie czuły się odizolowane, a nie chciałam ich puścić na dwór, na nieznanym mi osiedlu. I bałam się, że pewnego dnia odeślą je do Afryki. Taką taktyką posługują się często mężczyźni: porywają dzieci i wysyłają je gdzieś do odległej wioski, gdzie ich nie można odnaleźć i odzyskać.

Dwa miesiące telewizor stał na podłodze, bo nie miałam stołu. Ale powolutku, z pomocą znajomych, a nawet ledwo znanych mi ludzi ze szkoły, zaczęłam się urządzać. Po lodówce zaproponowano mi jakiś mebel, jakiś niezbędny sprzęt…

Kupiłam łóżko i stół. I najważniejszą rzecz – tak ogromnie się bałam, żeby dzieci nie były głodne – zamrażarkę! W dzieciństwie nigdy nie chodziłam głodna, moja matka bardzo o to dbała… Musiała mi chyba przekazać tę obsesję. Chciałam, by nawet podczas mojej nieobecności zawsze znalazły w tej lodówce coś do jedzenia. Czynsz za mieszkanie wynosił około dwóch tysięcy franków. Niewiele mi zostawało pod koniec miesiąca. Na szczęście miałam maszynę do szycia i szyłam ubrania dla afrykańskich kobiet. Brałam pięćdziesiąt franków za tunikę. Dzięki temu utrzymywałam się na powierzchni. Chciałam, żeby dzieci uczestniczyły we wszystkich zajęciach sportowych i pozaszkolnych. By nie wałęsały się bez celu po osiedlu albo nudziły się w domu. Nareszcie miały warunki do odrabiania lekcji; urządziłam im pokoje i wszystko szło dobrze.

Pewnego popołudnia odwiedził mnie wujek, którego darzę ogromnym szacunkiem; przyszedł z jednym z dalszych kuzynów. Powitałam ich i posadziłam przy stole; przeczuwam, że zbliża się narada rodzinna...

– Teraz, kiedy masz duże mieszkanie, chcielibyśmy cię prosić o pogodzenie się z mężem. Niech przyjdzie tu jego druga żona, zamieszkacie wszyscy razem; miejsca jest dosyć dla wszystkich.

– Od początku niczego nie rozumieliście! Nie na tym polega problem. Myśleliście, że zrobiłam tak dla jakiegoś głupiego kaprysu? Nie chcę już nigdy w życiu widzieć męża ani z nim mieszkać. To moje mieszkanie, ja jestem u siebie.

– Uspokój się, uspokój!

– Jestem spokojna. Ale chcę wam przypomnieć, że moje małżeństwo nie istnieje!

Mówienie im o rozwodzie czy separacji od łoża nie ma żadnego sensu. W ogóle to do nich nie dociera, nie chcą przyjąć do wiadomości. Stoję przed zwartym murem; mogę długo walić weń głową, a i tak usłyszę tę samą śpiewkę, aż do kompletnego wyczerpania.

– To twój mąż. On musi z tobą żyć!

– Nie, to już skończone. Ja go nie chcę...

– Ale nie zabraniaj dzieciom widywać się z ojcem!

– Nie mam takiego zamiaru. Powiedziałam dzieciom: tam jest najbliższa stacja metra. Żeby pojechać do ojca, trzeba wysiąść na trzeciej stacji; możecie go odwiedzać, kiedy chcecie, musicie tylko mnie o tym uprzedzić! Sędzia przyznał mu ściśle określone prawo do wizyt, ale pozwolę dzieciom widywać się z nim częściej!

Wreszcie sobie poszli, a ja musiałam mieć sporo czasu, by odzyskać spokój. Presja wuja i kuzynów nie miała zakończyć się na tej jednej wizycie. Doskonale rozumiałam, co się działo: mój mąż chciał się do mnie wprowadzić ze swoją drugą żoną i dziećmi. Cała wspólnota, wujowie i kuzyni, bardzo go w tym wspierała. Mieszkanie, o które tak długo i z taką determinacją walczyłam, wydawało się im za duże dla mnie! A skoro jeszcze płaciłam czynsz...

Ponury niepokój drążył mnie bez przerwy. Tego samego wieczoru powiedziałam do trojga starszych dzieci:

– Słuchajcie, mam wam coś bardzo ważnego do powiedzenia. Niedaleko stąd jest droga prowadząca na lotnisko, mogą was wysłać bezpośrednio do Dakaru, a potem do jakiejś wioski. Zamkną was tam i może upłynąć wiele dni, zanim odnajdę miejsce, gdzie przebywacie. Więc zapamiętajcie dobrze: uważajcie na drogę na lotnisko. Wbijcie to sobie do głowy!

Jakiś czas po tej pierwszej wizycie zadzwonił do mnie wujek. To była nowa próba pogodzenia mnie z mężem. Skoro nie chcę, żeby druga żona zamieszkała w moim domu, powinnam przynajmniej zaakceptować fakt, że mąż będzie do mnie przychodził, by spędzić ze mną co drugą noc.

– Twoje małżeństwo musi zostać podtrzymane. Twój mąż jest nadal twoim mężem i musi mieć prawo do ciebie przychodzić!

Powrót do poligamii! Tym razem wrzasnęłam, wściekła:

– Czy przemawiam do ściany?! Nie rozumiecie czy co? Nie chcę ani jej, ani jego! Nie chcę tego małżeństwa! Zostawcie mnie wreszcie w spokoju. Chcę być sama w moim domu!

Myślałam, że po tym wybuchu już zrezygnują. Ale niedługo potem pewnego dnia około pierwszej po południu ktoś dzwoni do drzwi. Otwieram. Mój mąż.

– Co ty tu robisz?

– Przyszedłem zobaczyć, gdzie mieszkasz.

– Właśnie wychodzę.

Nie chcę, żeby wszedł do mieszkania. Biorę torebkę, zamykam drzwi na klucz i zostawiam go na schodach. Idzie za mną na przystanek, wsiadam do autobusu – on także. Musiałam zrobić trzy okrążenia, zanim udało mi się wyskoczyć na jakimś skrzyżowaniu i wsiąść do innego autobusu. Kiedy w końcu da mi spokój?!

Przed przeprowadzką ciągle powtarzał, tonem pełnym złości:

– Nigdzie stąd nie pójdziesz! Daję ci tydzień. Bez przerwy mówisz, że odejdziesz, ale nigdy tego nie robisz! A kiedy odejdziesz, zobaczysz, wrócisz na kolanach błagać mnie o przebaczenie.

Nie przypuszczał, że jestem zdolna go zostawić i nie wrócić.

Przez ponad pół roku znosiłam „naloty" bliskich kuzynów i jego przyjaciół.

– Wracaj do stanu małżeńskiego...

Natykając się na kogoś w metrze lub na ulicy, słyszałam:

– Proszę, dla dobra dzieci wróć do męża!

Zrozumieli w końcu, że nie ma nawet mowy o powrocie do męża. Powiedziałam wujowi:

– Właśnie odkryłam w sobie pewną poważną wadę: kiedy odwracam się plecami i mówię, że to koniec, nigdy potem nie oglądam się za siebie. Nie chcę, żeby z mojego powodu w rodzinie działy się jakieś historie, chcę z tym definitywnie skończyć.

Dzieci widywały się z ojcem w każdy weekend. Jeden raz zostawiłam mu najmłodszą na kilka dni wakacji; wróciła do domu zawszona. Tamta kobieta nie była zdolna zająć się moim dzieckiem albo przelała na nie całą nienawiść, jaką do mnie czuła.

Pewnej lutowej niedzieli 1990 roku, kiedy dzieci przebywały z ojcem podczas weekendu, skorzystałam z okazji, żeby wyjść z mojej mysiej nory. Przed trybunałem, gdzie starałam się o przeprowadzenie rozwodu, spotkałam przypadkiem pewnego Afrykanina, który niedawno przyjechał do Francji, by zrobić dyplom w Wyższej Szkole Administracji. Nie znał miasta, więc zaproponowałam, że mu je pokażę. Wyjście z kimś, zupełnie obcym, kto nic nie wiedział ani o mnie, ani o mojej rodzinie, wcale mi nie przeszkadzało. Przynajmniej nie będzie zadawał mi pytań ani namawiał, żebym wróciła do męża! Pokazałam mu moje ulubione dzielnice... taki zwykły, niedzielny, spokojny spacer po mieście. Kiedy wróciłam do domu około piątej po południu i otworzyłam drzwi, dzieci dosłownie rzuciły się na mnie!

– Nigdy więcej, już nigdy więcej nie pójdziemy do taty! Nigdy więcej!

Całe szczęście, że dzieci miały klucze do mieszkania, gdyby nie to, zaprowadziłby je do opieki społecznej!

Dzieci urywanymi słowami, przekrzykując się wzajemnie, opowiedziały mi wszystko: Ojciec i kilku jego kuzynów, których nie podejrzewałabym o coś podobnego, poinformowali dzieci, że pojadą „odwieźć pewnego wujka na lotnisko".

– Koledzy taty trzymali nas mocno za ręce i szczypali za każdym razem, kiedy chcieliśmy się odezwać!

Mieli ze sobą pięć biletów: dla ojca i czworga dzieci. Przypuszczam, że wykorzystał do tego celu dawną książeczkę rodzinną, bo dowiedziałam się później, że próbował zdobyć nową. A ten dokument był mu potrzebny, żeby mieć pozwolenie na wyjazd z dziećmi. Jednak w ambasadzie Senegalu znano mnie i moją sprawę, więc urzędniczka mu oświadczyła:

– Przykro mi, ale nie mogę; potrzebny jest podpis matki dzieci.

Niczego nie załatwił, wyszedł z ambasady jak niepyszny. Wtedy wpadł na pomysł z książeczką rodzinną; sądził, że będzie mógł opuścić terytorium Francji bez większych problemów. Dzieci przeszły już do sali odpraw. Najmłodsza spała na rękach ojca; gdyby była z nim sama, pewnie już nigdy bym jej nie zobaczyła...

Troje starszych niewiele mogło zrobić, dopóki kuzyni trzymali je za ręce, ale kiedy dotarli do sali odpraw, moja najstarsza córka i syn zobaczyli przechadzających się policjantów w mundurach. Podbiegli do nich.

– Tata chce nas porwać, a nie ma prawa tego zrobić. Mama na to nie pozwala.

W końcu wszyscy znaleźli się w komisariacie. Przesłuchiwano ich oddzielnie; dzieci podały identyczną wersję, mimo że nie mogły się ze sobą porozumiewać.

Ich ojciec odleciał dopiero następnym samolotem; wyobrażam sobie, jakich musiał przedtem udzielić wyjaśnień! Policja przywiozła dzieci do domu i za zgodą sąsiadów pozostawiła je w mieszkaniu. Gdybym nie miała dobrych sąsiadów, gdyby dzieci nie miały kluczy do mieszkania, policja mogłaby je umieścić w rodzinie zastępczej. Ale trójka moich bohaterów umiała zachować się jak należy. „Uważajcie na drogę na lotnisko!". Na szczęście o tym nie zapomniały.

Uprzedziłam telefonicznie mojego ojca.

– To nic wielkiego, one są także jego dziećmi. Kiedy tu przyjedzie – porozmawiamy. O nic się nie martw i nie rób z tego afery.

– Nie robię afery. Dobry Bóg pozwolił, że dzieci zostały tu, razem ze mną, i to jest najważniejsze.

Natychmiast po tym wydarzeniu, w poniedziałek rano, poszłam na prefekturę policji, by uregulować sprawę narodowości moich dzieci. Przy okazji złożyłam wniosek także dla siebie, chciałam uzyskać obywatelstwo francuskie. Do tej pory wolałam być wierna Senegalowi…

Energiczniej zabrałam się do sprawy rozwodowej. Postarałam się o pomoc prawną. Jednak rozwód religijny pozostawał niedostępny, tylko mąż mógł o tym zadecydować. A przecież od początku powtarzał, że nie chce rozwodu i nigdy mi go nie da.

– To nie ja zorganizowałem ten ślub, tylko rodzice! Więc to do nich należy zajęcie się rozwodem. Ich o to poproś i przestań zawracać mi głowę!

Zawsze trzeba kogoś prosić; afrykańska muzułmanka nie jest panią swojego losu.

Byłam afrykańską kobietą, byłam muzułmanką i osobą wierzącą. Ale obsesyjnie zbuntowaną, nieakceptującą systemu, który chciał mnie zamknąć na całe życie. Musiałam się już taka urodzić, chociaż nic o tym nie wiedziałam. I żadnych aranżowanych małżeństw – ani dla dziewcząt, ani dla chłopców.

Wybrałam się do Afryki, by poprosić rodzinę o przedsięwzięcie kroków niezbędnych do uzyskania przeze mnie rozwodu. Jechałam, wiedząc, że moje starania wcale nie muszą być uwieńczone sukcesem.

Walka

Dakar. Stanęłam przed ojcem, to jego, według rodzinnej hierarchii, powinnam pierwszego prosić.

– Tato, chciałabym, żebyś mi pomógł w unieważnieniu mojego małżeństwa.

Ojciec nie robi żadnych wyrzutów, nie zadaje pytań. Najprawdopodobniej wie doskonale o poczynaniach mojego męża, który stara się, jak może, żeby zniszczyć moją reputację. Bez komentarza.

– Kiedy w małżeństwie się nie układa, trzeba po prostu oddalić od siebie małżonków. Po co obrzucać się wyzwiskami czy trwać we wzajemnej nienawiści. Tylko muszę jeszcze pojechać na konsultacje na wieś do mojego brata, to on zadecyduje, bo teraz jest najstarszy w rodzinie.

Wszystko jest takie skomplikowane: mój ojciec jest siostrzeńcem tego wujka, wuj jest bratem mojego ojca... Oto rezultat tradycji Soninké. U nas jeszcze się zdarza, że tuż po urodzinach dziewczynki matka zawiązuje jej na nadgarstku kawałek materiału, który ma oznaczać „rezerwuję ją dla mojego syna!". A dobra matka troszczy się, by jej córka wyszła za mąż za ciotecznego brata dla zachowania ciągłości rodziny. Nie ma mowy o małżeństwach między osobami mającymi różne korzenie etniczne. Bliskie pokrewieństwo małżonków nikogo nie przeraża, po prostu z braku odpowiedniej wiedzy. Stąd te wszystkie aranżowane małżeństwa, połączone z uprzednim obrzezaniem dziewczynek, bo godny swojej rodziny Soninké nigdy by nie poślubił dziewczyny „nieczystej".

Otrzymałam rozwód w taki sam sposób, w jaki udzielono mi ślubu. Ustne porozumienie między mężczyznami „rozwiało" moje małżeństwo równie łatwo, jak wiatr rozwiewa chmury na niebie. Definitywnie odzyskałam wolność. Mąż pozostawał ojcem moich dzieci, a ja wreszcie mogłam dalej walczyć i prowadzić życie, jakie chciałam.

Walczyłam we Francji od 1980 roku. Ale dopiero sześć lat później, kiedy pracowałam jako tłumaczka, spotkałam Koumbę Touré, także tłumaczkę i wiceprzewodniczącą GAMS. Opowiedziała mi o tym stowarzyszeniu, wciągnęła mnie do pracy i od tego czasu czujemy to samo powołanie, które nigdy nie osłabło.

Stowarzyszenie było i jest do tej pory laickie i apolityczne, składające się z afrykańskich i francuskich kobiet. Walczy nie tylko o zaprzestanie obrzezania, ale także o pełną informację i zapobieganie pewnym szkodliwym praktykom tradycyjnym: małżeństwom wymuszanym lub zawieranym w zbyt młodym wieku, przedwczesnym ciążom. To mrówcza praca, polegająca przede wszystkim na edukowaniu kobiet przy okazji wizyty u ginekologa lub w przypadku dziecięcej ciąży, mówieniu im o komplikacjach, jakie niesie ze sobą obrzezanie – problemy ginekologiczne, schorzenia dróg moczowych, trudności porodowe. Wiemy, że większość obrzezanych kobiet musi mieć cesarskie cięcie, bo trudno im urodzić w naturalny sposób. A te wczesne liczne ciąże – co najmniej cztery, często nawet dziesięć – pogarszają jeszcze sytuację. Trzeba tłumaczyć kobietom, żeby swoich córek nie poddawały temu strasznemu barbarzyńskiemu zabiegowi, z powodu którego same będą cierpieć do końca życia. Wyjaśniać, że religia nigdy nie nakazywała obrzezania. Potrzebujemy pomocy religijnych patriarchów w Afryce. Oni powinni zdementować te okropne kłamstwa podtrzymywane przez wieki na skutek nieznajomości religijnych tekstów. W rzeczywistości obrzezanie – a także zszywanie napletka czy warg sromowych – jest wychwalane przez mężczyzn i wykonywane przez kobiety w złych intencjach.

Pewien Afrykanin powiedział mi kiedyś:

– Zabieg wykonuje się po to, żeby kobieta nie została zgwałcona.

– A uważasz, że gwałciciel zainteresuje się intymnymi miejscami kobiety? Wierzysz, że najpierw obejrzy, a dopiero potem zgwałci?

Inny twierdził:

– Robi się w tym celu, żeby nie chciało im się szukać innego mężczyzny.

– Pozbawienie kobiety przyjemności nie pozbawia jej pożądania. Seksualność obrzezanej kobiety jest równie mało satysfakcjonująca dla niej, jak i dla ciebie!

Odkryłam całą listę idiotycznych powodów obrzezania, jeszcze gorszych: chodziło o zwiększenie męskiej przyjemności i o... spójność społeczną...

Ta intymna część kobiecych genitaliów została uznana za coś nieczystego i brudnego, jednym słowem – diabolicznego. Nowo narodzone dziecko nie powinno jej dotykać, od tego zależało jego przeżycie.

Ten organ, porównywany z miniaturowym penisem, powinien zostać usunięty.

Wycięcie łechtaczki jest symbolem podporządkowania.

Powoduje zwiększenie płodności kobiety.

I wreszcie – to doskonały pretekst służący celom religijnym.

Tak naprawdę zdałam sobie sprawę z tego niesłychanego barbarzyństwa, kiedy mała dziewczynka z Mali zmarła we Francji na skutek obrzezania. Zdarzyło się to w 1982 roku, a maleńka nazywała się Bobo Traoré. Przez wiele lat „akceptowałam" ten rodzaj okaleczenia – przecież moje trzy starsze córki też były jego ofiarą. Właściwie nawet o tym „zapomniałam", zajęta sprawami osobistymi. Dopiero śmierć tej małej dziewczynki w Paryżu – o czym media donosiły bez przerwy przez wiele tygodni – obudziła mnie i wstrząsnęła społeczeństwem francuskim, ale także sporą grupą Afrykanów.

Do tej pory nigdy się o tym otwarcie nie mówiło, a większość Francuzów w ogóle nie wiedziała o stosowaniu praktyki obrzezania dziewcząt w krajach afrykańskich. Żaden etnograf, żaden naukowiec nie zainteresował się tym problemem. I nagle w Wiadomościach o godzinie 20.00 potraktowano Afrykanów jak prymitywnych barbarzyńców!

Jakiś czas po tym wydarzeniu, kiedy pracowałam w Biurze do spraw Imigrantów, pediatrzy zadawali nam konkretne pytania. Nie znałam zbyt wielu powodów stosowania tej strasznej praktyki, ale w miarę jak normowały się moje sprawy osobiste, zaczęłam uczestniczyć w comiesięcznych spotkaniach w paryskim Domu Kobiet.

Na początku nie zabierałam głosu, słuchałam. Powoli dowiadywałam się prawdy. Najpierw od lekarzy, a potem sama zgłębiałam lekturę, której poszukiwałam w różnych bibliotekach. I odkryłam, że nie wszystkie muzułmańskie kobiety były poddawane obrzezaniu. W Senegalu na przykład plemię Wolof nie stosuje takich praktyk. W niektórych krajach północnej Afryki też nie okalecza się dziewcząt.

Pierwszy wniosek: obrzezanie nie ma nic wspólnego z religią. Dlaczego więc my, a inne kobiety nie?

Drugie spostrzeżenie: pediatrzy mówią sporo o okaleczeniu fizycznym i jego konsekwencjach dla zdrowia kobiety. Najpierw fizycznych, dopiero później psychicznych.

Nasze matki nigdy nas o tym nie informowały, chociaż przecież przeżywały to samo.

Sprawami konsekwencji psychicznych zajmowałyśmy się my same, kobiety afrykańskie. A było to dla nas wyjątkowo trudne zadanie. Szczególnie niełatwo było nam mówić o osobistych doświadczeniach. Żadna z kobiet nie chciała odkrywać wstydliwych tajemnic swojej seksualności. Charakteryzował nas ten sam wstyd, to samo zażenowanie. Jak zresztą mówić o przyjemności seksualnej, jeśli się jej w ogóle nie zna? Kobiety były zażenowane i zszokowane medialnym nagłośnieniem tematu obrzezania i całym szumem, jaki wokół niego powstał. Naprawdę cierpiały z tego powodu.

– Nie, nie, bardzo dobrze się czujemy; nie ma żadnych kłopotów przy porodzie, żadnych problemów seksualnych, nie ma nic takiego.

Jednak co się tyczy „legalności" tej praktyki, szok okazał się zbawienny. Media traktowały nas jak barbarzyńców, bezlitośnie krytykując naszą tradycję czy dziedzictwo kulturowe, a my nie miałyśmy żadnego, najmniejszego nawet racjonalnego wytłumaczenia.

Biegałam od biblioteki do biblioteki w poszukiwaniu interesującej mnie literatury, ale nie znalazłam odpowiednich tekstów. I co najważniejsze i stuprocentowo pewne: w Koranie nie było żadnej wzmianki na ten temat.

Działaczki GAMS były lepiej poinformowane. W dodatku dysponowały nakręconym w Afryce filmem, bardzo trafnie zatytułowanym *Oszustwo*.

To były straszne obrazy. Dokładnie przedstawiały okrucieństwo i barbarzyństwo obrzezania; oglądało się to na granicy wytrzymałości. Sfilmowano, krok po kroku, „poświęcenie" małej dziewczynki z Nigerii i jej obrzezanie, w dodatku dokonane – kolejny horror! – przez mężczyznę.

W moim kraju obrzezanie jest wyłącznie sprawą kobiet, mężczyźni nie biorą w nim udziału i nigdy o tym nie mówią. Płeć kobiety jest tematem tabu. Do tej pory nie miałam pojęcia, że w innych regionach Afryki mężczyźni – inspiratorzy tej rzekomej tradycji – sami wykonywali zabieg. W filmowym dokumencie okaleczenie było ekstremalne, dokonano obrzezania i zszycia warg sromowych. Polega to na wycięciu wszystkiego: z łona dziewczynki nie pozostało dosłownie nic. Ani łechtaczki, ani dużych i małych warg sromowych. Poza tym to nieszczęsne dziecko zostało kompletnie zaszyte. Łono zamknięte dla każdego potencjalnego intruza i zachowane dla przyszłego męża, który dziewczynkę „rozdziewiczy". Pozostawiono jedynie maleńki otwór na załatwianie potrzeb fizjologicznych.

Bo mężczyzna – jeśli w tym przypadku taką bestię można nazwać mężczyzną – powinien pozbawić dziewictwa zszytą dziewczynę jedynie siłą swojej męskości. Jeśli mu się to nie uda – jego męskość staje się wątpliwa. Opowiadano mi kiedyś, że dlatego często posługuje się nożem, by przypadkiem nie narazić się na pośmiewisko otoczenia.

Do porodu trzeba taką dziewczynę „rozszyć", a potem znów zaszyć. A do następnego porodu ponownie rozszyć. I tak w kółko...

Istny horror! Niewyobrażalne cierpienia młodych matek, często przypłacających to życiem, padających ofiarą krwotoków, różnego typu infekcji, nie mówiąc o bólu, którego nie sposób opisać.

Omal nie zemdlałam, gdy dowiedziałam się o powszechności tego okrucieństwa. Każda grupa etniczna ma swoje obyczaje. Istnieje tak zwane proste obrzezanie, które polega jedynie na obcięciu czegoś w rodzaju kapturka i chodzi tylko o to, by pokazało się kilka kropli krwi... W innych plemionach dziewczynki pozbawia się całej łechtaczki. Jednak to, co nazywa się obrzezaniem faraonów, połączone z zaszyciem i praktykowane już w starożytnym Egipcie, należy do najokrutniejszych.

Wszystkie pierwsze afrykańskie dziewczynki urodzone we Francji zostały obrzezane i nikt o tym nie wiedział. A przecież ginekolodzy i położne nie mogli tego nie zauważyć, ale, tak jak w moim przypadku, nie chcieli w ogóle o tym mówić. Przypuszczam, że w tamtych czasach byłoby to niepoprawne politycznie.

Tragiczne wydarzenie z 1982 roku spowodowało, że mogłyśmy zaalarmować afrykańskie matki mieszkające we Francji. W pierwszej kolejności należało je przekonać, z pomocą pediatrów i instytucji do spraw imigrantów, żeby nie pozwoliły przeprowadzać takich zabiegów na własnych córkach.

Kobiety te w większości nie czytały gazet, często nie rozumiały informacji podawanych w telewizji, ale teraz wszystkie wiedziały, o czym mówi się w mediach. Aktywistki z GAMS używały po prostu telefonu, bo nawet na dalekich przedmieściach w każdym domu był telefon. I tak wędrowały informacje. Wtedy się przekonałam, że wiele afrykańskich kobiet doskonale wiedziało o tragicznej konsekwencji obrzezania dziewczynki z Mali. Niestety, trzeba było dopiero śmierci niewinnej ofiary, męczeńskiego, trzyletniego dziecka zmarłego w wyniku krwotoku, aby afrykańskie imigrantki nagle się przebudziły. A z nimi cała Francja.

Jednak dla afrykańskich rodziców był to jedynie nieszczęśliwy wypadek, źle wykonany zabieg, a przecież było to przestępstwo kryminalne!

W 1983 roku sąd kasacyjny uznał obrzezanie nieletniej do lat piętnastu za celowe okaleczenie, a więc czyn, za który odpowiada się przed sądem przysięgłych. Przewidywana kara: od dziesięciu do dwudziestu lat pozbawienia wolności.

W 1984 roku Liga Praw Kobiet, Międzynarodowa Liga Praw Kobiet i SOS Kobiet postanowiły wspólnie złożyć skargę do sądu w sprawie śmierci maleńkiej Bobo. Pani Linda Weil Curiel, znakomita adwokat, którą miałam szczęście wówczas poznać, potrafiła udowodnić niekompetencję trybunału pierwszej instancji. Według niej w tym przypadku nie chodziło o zadanie rany, lecz o trwałe, umyślne okaleczenie, spowodowane przez rodziców nieletniej. Obrzezanie jest więc obecnie traktowane we Francji jako przestępstwo kryminalne, a rodzice są winni w równym stopniu jak osoba, która tego czynu dokonała.

Rozpoczęła się debata narodowa. Zostajemy zaproszone do udziału w programie telewizyjnym. Siedzimy naprzeciwko adwokata rodziców zmarłej dziewczynki. Są również liderzy ruchu obrony dziedzictwa kulturowego – afrykańscy nacjonaliści, oburzeni, że Francja ośmiela się wtrącać do ich rodzimych obyczajów. Niektórzy adwokaci są gotowi bronić tej przegranej sprawy, uważając afrykańskie kobiety za nieszczęsne ignorantki o bardzo ograniczonej odpowiedzialności.

A one nie są biedne, nie są też ignorantkami, nawet jeśli ich noga nigdy nie przestąpiła progu szkoły – są natomiast podległe i wykorzystywane. Brakuje im przede wszystkim rzetelnej prawdy o nich samych. I jeśli nikt im tej prawdy nie powie, dalej będą żyły w poddaństwie wobec mężczyzn, i to w kraju, który – wydawałoby się – powinien dostarczyć im możliwości pełnego rozwoju. Brałam udział w tej debacie telewizyjnej i czułam narastającą wściekłość, słuchając nieprawdopodobnych głupot z ust człowieka, który reprezentował prawo.

Była także pewna afrykańska kobieta, „wojowniczka" o prawo do obrzezania. Pochodziła z Gwinei. Twierdziła, że nie ma żadnych problemów seksualnych i jest dumna z tego, iż została obrzezana. Mówiła:

– To naprawdę dobra rzecz! Gdyby można było to ponownie zrobić, od razu bym się zgodziła!

Byłam oburzona do żywego taką hipokryzją.

– Niech każdy robi, co chce, proszę pani. Proszę znowu się obrzezać, skoro tak bardzo się to pani podoba, ale zabraniam twierdzić, że jest to coś dobrego!

Bo na własnym ciele odczuwam wszystkie spustoszenia, jakie poczyniło we mnie obrzezanie; dodatkowo mam straszne wyrzuty sumienia, że zgodziłam się na okaleczenie moich córek. Ale nareszcie mogłam, znając doskonale temat, „rozpuścić gębę" – jak mawiała o mnie moja matka – i mówić prawdę.

Po tej idiotycznej debacie telewizyjnej stałam się zażartą wojowniczką o dobrą sprawę. Zapraszano nas na odczyty i dyskusje.

Nie byłyśmy dostatecznie „uzbrojone”, by odpowiedzieć na wszystkie zaproszenia. Potrzebne nam były subwencje, żeby choć minimalnie zapłacić ochotniczkom. Jak inne kobiety pracowałam w GAMS, a każdy, kto zna tę instytucję, wie, że godziny i dni poświęcone wolontariatowi nie zapewnią utrzymania ani matce, ani jej dzieciom. A przed nami była ogromna praca: prewencyjna i uświadamiająca.

Istniała również grupa kobiet i mężczyzn, twierdząca w swej hipokryzji, że aktywistki z GAMS, będące na usługach francuskich feministek, są przez nie manipulowane! Trzeba było tłumaczyć, że chociaż walczymy na terenie Francji, to sama idea ma swoje korzenie w Afryce. „Komitet interafrykański” gromadził kobiety z dwudziestu krajów. W tej chwili należy do niego ponad trzydzieści państw. Bo czyż Afryka nie ma prawa do własnego „feminizmu”?

Wojna przeciwko okaleczaniu była więc naszą legalną walką. Nie jesteśmy naiwne, nikt nami nie manipulował, byłyśmy przekonane, że krytykujące nas Afrykanki same były manipulowane przez mężów i innych mężczyzn, którzy poczuli się dotknięci ingerencją w ich odwieczne prawa!

W 1986 roku małżeństwo odpowiedzialne za obrzezanie swych sześciu małych córek jest nadal osądzone za „zranienie” i uznane za „ofiary przestrzegania tradycji przodków”. Ale następnego roku następuje rewizja wyroku, prokurator wznawia sprawę i wnosi o zmianę klasyfikacji przestępstwa. I wykazuje – jak przedtem pani Weil Curiel – że to zbrodnia.

A w 1988 roku sąd w procesie karnym wydaje pierwszy wyrok skazujący na trzy lata więzienia [w zawieszeniu] pewnego mężczyznę i jego dwie żony. Trzeba było czekać do roku 1991, kiedy sąd skazał na pięć lat więzienia [bez zawieszenia] kobietę, która dokonała obrzezania. W 1993 roku skazano matkę, w 1996 roku – ojca, który wbrew woli żony wywiózł do Afryki swoje córki i tam kazał je obrzezać. I wreszcie w 1999 roku po raz pierwszy w historii sądowniczej młoda dziewczyna z Mali wnosi oskarżenie przeciwko kobiecie, która zajmuje się obrzezaniem.

Dziewczyna ma dwadzieścia cztery lata, jest studentką prawa. Sama także została okaleczona w wieku ośmiu lat i postanowiła zbuntować się przeciwko planowanemu obrzezaniu swojej młodszej, ośmioletniej siostry.

Oskarżona była już raz skazana w 1988 roku i dostała wyrok w zawieszeniu; wtedy broniła się twierdzeniem, iż nie wiedziała, że we Francji praktyki te są zabronione. Wyjaśniała, że należy do kasty kowali i jej rolą było pomaganie szlachetnym rodzinom i wykonywanie zleconej jej pracy. Nie wiedziała, że po tym wyroku była pod dyskretną obserwacją policji, która odkryła rachunki, jakie oskarżona wystawiała swoim klientom: od stu czterdziestu do pięciuset franków za zabieg. Zarzucono jej wtedy obrzezanie czterdziestu ośmiu dziewczynek. A pewnie było ich znacznie więcej...

Kiedy słuchałam afrykańskich kobiet, które broniły oskarżonej, mówiąc: „Zapukała do moich drzwi, nie znałam jej, i spytała, czy moja córka jest już obrzezana...” – nie wierzyłam w ani jedno słowo. Z tego, co wiem, tego typu sprawy nigdy nie odbywają się przypadkowo. Należąca do rodziny kobieta z kasty kowali bierze inicjatywę w swoje ręce i nie otrzymuje za tę „pracę” żadnej zapłaty – tak było w moim przypadku w Senegalu – albo rodzice dziewczynki przychodzą do niej i wtedy jej płacą; tak dzieje się w środowisku imigrantów. Rodzice są więc winni w równym stopniu.

Byłam na tym procesie. Pani Linda Weil Curiel reprezentowała organizację kobiecą. Słuchałam młodej dziewczyny, która wniosła oskarżenie; mówiła o niewypowiedzianych cierpieniach, strasznych krzykach młodszych sióstr, o swoim przegranym życiu seksualnym.

Słuchałam wyjaśnień pediatry, który twierdził, że wycięcie łechtaczki jest jedynie drobnym okaleczeniem...

Chciałam mu wykrzyczeć przy wszystkich, że gdyby to jemu obcięto coś podobnego [dla przyzwoitości nie nazwałabym tego po imieniu] zwykłą żyletką do golenia, to dopiero potem mógłby ze mną porozmawiać o tych sprawach.

Na szczęście zastąpił mnie powołany przez oskarżenie ekspert.

– Ekwiwalentem w przypadku mężczyzny jest prącie i żołądź.

W końcu obrona zajęła się faktem, że choć oskarżona wiedziała, iż „jest to zabronione", do końca nie zdawała sobie sprawy, co to oznacza...

Zabrałam głos i odpowiedziałam, że w naszym sektorze PMI właśnie dzięki akcji informacyjnej praktyki obrzezania właściwie zanikły, a informacje docierają prawie do wszystkich.

Jednakże osoby z PMI okazały się dość tchórzliwe; zasłaniając się „dziedzictwem kulturowym", tłumaczyły, że nie należy się wtrącać do tak intymnych spraw. Tak jak powiedziała kiedyś ginekolog, której słów nie zapomnę pewnie do końca życia:

– Dajcie wreszcie spokój łechtaczkom afrykańskich kobiet!

To tak łatwo i prosto powiedzieć, kiedy zachowało się swoją własną!

Obecnie w wielu afrykańskich krajach, takich jak Senegal, Burkina Faso i Wybrzeże Kości Słoniowej, oficjalnie zabroniono obrzezania. Egipska Rada Ministrów próbowała wprowadzić podobny zakaz w 1996 roku, jednak kilka miesięcy później ekstremiści religijni spowodowali upadek rządu. Jedynym ustępstwem mężczyzn było to, że obrzezanie odbywa się w szpitalu.

A jednak... sam jeden przeciwko wszystkim; pewien imam z meczetu al-Azhar w Kairze ogłosił publicznie, że Koran nie usprawiedliwia aktu tego typu. Ale droga do prawdy, do zadania ostatecznego ciosu kłamstwom, jest jeszcze bardzo długa.

W tym czasie, w 1990 roku, nasze stowarzyszenie po raz pierwszy otrzymuje subwencje i od tej pory dostajemy pensję od GAMS. Chociaż nie jest to duża suma, pozwala przyspieszyć akcję informacyjną wśród personelu medyczno-socjalnego. Dzisiaj pracujemy w szkołach – poczynając od gimnazjum, przez liceum i uniwersytet oraz szkoły dla pielęgniarek i położnych – szkolimy tych wszystkich, którzy pewnego dnia, z racji wykonywanego zawodu, będą się stykać z afrykańskimi kobietami. Nadal organizujemy spotkania dla afrykańskich kobiet i prowadzimy nieustanną akcję informacyjną.

GAMS jest pierwszym stowarzyszeniem w Europie zajmującym się tym problemem; uczestniczymy też w konferencjach międzynarodowych. Biorę w nich udział w charakterze eksperta-konsultanta. W 2000 roku, spotykam eurodeputowaną – Emmę Bonino, która proponuje mi uczestniczenie w międzynarodowej kampanii pod hasłem: „Stop FGM", po angielsku *female genital mutilation.* To nadzwyczajna kobieta, która walczy o prawa każdej istoty ludzkiej, a w szczególności kobiet.

W końcu znalazłam pracę. W latach osiemdziesiątych próbowałam chodzić na rozmaite kursy, w tym kształcące asystentów pielęgniarek; zaczęłam szkołę pielęgniarską, jednak nie mogłam jej ukończyć z powodu sytuacji rodzinnej i walki o rozwód. Dzięki klinice, w której odbywałam staż, znalazłam pracę, bardzo humanitarną, lecz niewiarygodnie trudną: zajmowałam się chorymi w ostatnich tygodniach ich życia. Pracowałam nocą – od ósmej wieczorem do ósmej rano. A w dzień walczyłam. Dzieci rosły, a ja nie czułam się taka samotna dzięki przyjaciółce z Senegalu, która z nami zamieszkała. To była prawdziwa przyjaciółka, zresztą jest nią nadal. Trzymałam się z daleka od naszej społeczności – wielu moich rodaków „wyklęło" mnie tylko dlatego, że wyszłam ze skorupy narzuconej afrykańskim kobietom. Niektórzy mi pomogli, zachowując neutralność wobec mojego małżeńskiego konfliktu, inni mnie przeklęli, znieważyli, i to w najtrudniejszym okresie. Uratowali mnie ludzie niemający nic wspólnego z moją społecznością: pracownice opieki społecznej, aktywistki z organizacji i kilkoro przyjaciół z Senegalu.

W 1993 roku ogarnęła mnie chęć studiowania i zdałam egzamin wstępny na Uniwersytet Paryski [Paris – VIII] na wydział socjologii afrykańskiej. Byłam bardzo ciekawa, czy mogę zajść aż tak daleko i zdobyć dyplom. Ale po roku straciłam cierpliwość; uczono tam rzeczy tak dobrze mi znanych!

GAMS współpracuje z lokalnymi stowarzyszeniami afrykańskimi. Jeśli jakaś rodzina nie chce nas słuchać we Francji, nasi pracownicy udają się do Afryki. Niektórzy rodzice wykorzystują wakacje w swoim kraju, by tam dokonać obrzezania córek, a potem przywożą je spokojnie do Francji; unikają w ten sposób kary przewidzianej prawem. Na granicy sprawdzają dokładnie bagaże i nie znajdują niczego kompromitującego. Co robić w takim przypadku?

Sędziowie i prokuratorzy mają prawo [i niektórzy je egzekwują] wezwać rodziców dziewczynek urodzonych na terytorium Francji i jeszcze nieobrzezanych. To my sygnalizujemy podejrzane wypadki i staramy się zapobiegać ewentualnym tragediom. Bardzo pragnę, żeby małe, urodzone we Francji dziewczynki, które mają szansę żyć w podwójnej kulturze, były traktowane jako rodowite Francuzki. By korzystały z tego samego co one prawa, które przecież nie karze ani tradycji, ani kultury, lecz jedynie zbrodnię okaleczenia. „Tradycja! Kultura!" – to były jedyne argumenty opozycjonistów wobec prawa, o które walczyliśmy od początku naszej działalności. Po każdym programie telewizyjnym, w którym przedstawialiśmy własne stanowisko, w naszych domach dzwoniły telefony z przekleństwami. Dzisiaj jest już inaczej i ogromnie mnie cieszy, kiedy ktoś mi mówi: „Widzieliśmy cię w telewizji, kochana. Wspaniałe jest to, co robisz, walcz dalej, trzeba wreszcie skończyć z tą przeklętą tradycją!".

Ale takie słowa słyszę dopiero od dwóch lub trzech lat...

Wierzę, że praktyka obrzezania kiedyś zniknie, ale sądzę, że poligamia jeszcze długo pozostanie tradycją w afrykańskich krajach. Ta tradycja i kultura!

W rodzinnym kraju mężczyzna kilka razy się zastanawiał, zanim porzucił żonę. Rodziny czuwały, poza tym zawsze były gotowe przyjąć opuszczoną dziewczynę, którą oddali mu na żonę. Ale w dalekim kraju afrykańskie kobiety, skazane wyłącznie na siebie, uwięzione z gromadką dzieci i mężem w jakimś ponurym blokowisku, nie mają praktycznie szans na przeżycie, bo są zależne finansowo. I tak jest nadal. Niektórzy mężczyźni oświadczają: „Mogę wyżywić moje dzieci bez zasiłku rodzinnego!".

Pamiętam pewną rodzinę, w której mężczyzna miał piętnaścioro dzieci z dwiema żonami. Dziesięcioro z nich chodziło do szkoły, i to właśnie szkoła poprosiła mnie o interwencję. Był rok 2002. Obie żony powiedziały mi:

– Zasiłki wpływają na jego konto, nie mamy do nich dostępu; zabrał ich część i pojechał do Afryki zobaczyć się ze swoją trzecią żoną. Jest tam już trzy miesiące, zaraz rozpocznie się rok szkolny, a my nie mamy pieniędzy na dzieci. To, co nam zostawił, wystarczy zaledwie na troje najstarszych.

Bardzo łatwo jest gromadzić na koncie zasiłki rodzinne i liczyć na pomoc społeczną w posłaniu dziesięciorga dzieci do szkoły... Ten mąż nieźle sobie żył w afrykańskiej wiosce.

Koniecznie trzeba coś zrobić, żeby zapobiegać podobnym sytuacjom. Gdyby chociaż w tym systemie poligamicznym mężowie dawali żonom możliwość nauki, rozwoju i właściwego zajmowania się dziećmi! Ale nie – jeszcze zbyt wielu z nich korzysta ze wspólnych pieniędzy, może więc zafundować sobie kolejną żonę i poniżać te, które poślubił wcześniej.

Uważam, że państwo nie poświęciło tej sprawie należytej uwagi. Jest jeszcze tyle do zrobienia w tej dziedzinie na całym świecie!

W lipcu 2003 roku państwa afrykańskie podpisały konwencję, zwaną protokołem z Maputo – rodzaj załącznika do Karty Praw Człowieka – dotyczącą wyłącznie kobiet. To naprawdę wspaniały dokument! I jeśli tylko pewnego dnia zostanie wprowadzony w życie, nastąpi istotna poprawa warunków egzystencji afrykańskich kobiet. Zakłada on równość obu płci, przewiduje kary za gwałt zadawany kobietom i szkodliwe dla ich zdrowia praktyki, w tym okaleczenie organów płciowych i wymuszone małżeństwa.

Niestety, niektóre kraje, które podpisały tę konwencję, nigdy jej nie ratyfikowały. Obecnie w pięciu państwach jeszcze nie weszła w życie; żądają one bowiem pewnych modyfikacji, prawdopodobnie z powodów kulturowych... Dlatego obawiam się, że ze względu na te „powody kulturowe" kobiety nadal pozostaną zależne, pomimo międzynarodowych przepisów i instytucji. Ale my, afrykańskie kobiety, nie zgadzamy się na zmianę choćby jednego przecinka w tych dokumentach! Chcemy doprowadzić do ich ratyfikacji we wszystkich krajach Afryki bez wyjątku. Emma Bonino i inne kobiety rozpoczęły już kampanię, mającą uczulić społeczeństwo na te przepisy, które muszą być nie tylko ratyfikowane, ale także stosowane i przestrzegane w każdym państwie, a przede wszystkim tam, gdzie nadal się ich nie respektuje.

Od 2002 roku przewodniczę europejskiej sieci prewencji [dotyczy ona okaleczeń płciowych: EuroNet – FGM]. Ta sieć mogła powstać dzięki zorganizowaniu spotkania przez Międzynarodowe Centrum zajmujące się ochroną zdrowia [zwłaszcza prokreacji]; następna rok później – dzięki pomocy Uniwersytetu Gand w Belgii, stowarzyszeniu kobiet somalijskich [ATD] w Göteborgu i wysokich przedstawicieli organizacji imigracyjnych tego miasta. Chcieliśmy wzmocnić współpracę wszystkich organizacji na szczeblu europejskim i tym samym zwiększyć naszą skuteczność. A to oznaczało poprawę ochrony zdrowia imigrantek i ich dzieci, walkę z tradycyjnymi praktykami zagrażającymi zdrowiu, zwłaszcza z okaleczeniem płciowym, oraz wymuszanym czy przedwczesnym małżeństwom.

Zgłaszają się do nas dziewczyny, które chcą działać w naszych stowarzyszeniach. Mam nadzieję, że teraz one przejmą pałeczkę, bo my, starsze, zaczynamy odczuwać zmęczenie, za długo już czekamy na dobrą wolę polityków, dobrą wolę mężczyzn, mówiąc najkrócej.

Jesteśmy w pewnym sensie imigracyjnymi męczennicami. Musiałyśmy odłożyć na bok życie rodzinne – i czekać na lepsze czasy – żeby działać naprawdę skutecznie. Pierwsze imigrantki musiały znosić okrucieństwo i bezwzględność mężów oraz presję swojego środowiska we Francji. Mam tu siebie na myśli. Pamiętam, że kiedy w ramach walki z analfabetyzmem prowadziłam kursy czytania i pisania, często musiałam wręcz żebrać u niektórych mężów, by pozwolili żonom uczęszczać na te zajęcia. I nie wiem, jakim cudem – zawsze mi się to udawało. Stworzyłyśmy naszą sieć, żeby wzmocnić wysiłki.

Młode kobiety od nas się nauczyły walczyć o swoje. Sprzeciwiać się obrzezaniu córek. I w razie potrzeby domagać się kary i odszkodowania – jeśli taki przypadek się zdarzy – a także naprawienia szkody. Bo teraz stało się to możliwe dzięki pewnemu chirurgowi, który opracował technikę „naprawczą". Młode kobiety coraz częściej domagają się normalności w swoim prywatnym życiu. Europejkom bardzo trudno jest zrozumieć pustkę, w której żyjemy, i nasze wyobcowanie. My wciąż pozostajemy w tyle, wszystkie powinnyśmy otrzymać pomoc psychologiczną. Jest ona konieczna przed operacją naprawczą i po niej, żeby nie kojarzyła się z kolejnym okaleczeniem. Bo nawet jeśli czasem zapominamy o starej bliźnie, nigdy nie zapominamy tamtego bólu. Ból ze zdwojoną siłą powraca podczas operacji, tyle że tym razem kobieta sama żąda tego zabiegu. To jej niewymuszony wybór. Przypuszczam, że uczucie musi być bardzo dziwne, gdy po latach odnajduje się kawałek własnego ciała, którego zostało się pozbawionym.

Spotkałam kilka takich „odrestaurowanych" dziewcząt.

Kiedy pierwsza z nich relacjonowała działaczkom GAMS, jej słowa przyprawiły nas o szalony wybuch śmiechu:

– Mam łechtaczkę! I to działa! I robi wrr!...

Miała dwadzieścia lat, chłopaka i całe życie przed sobą. Inne poszły w jej ślady. Znajdą się następne.

Trzeba jednak powiedzieć, że przeprowadzenie takiej operacji nie oznacza końca problemów!

To nie jest rozwiązanie. Rozwiązaniem jest wprowadzenie na całym świecie radykalnego zakazu przeprowadzania zabiegów obrzezania. Ustanowienie prawa jednak nie wystarczy, musi ono iść w parze z uświadamianiem i uwrażliwianiem.

W Sudanie, gdzie odpowiednie prawo zostało uchwalone jeszcze w latach czterdziestych, całkowite wycięcie organów płciowych i zszycie – najcięższy typ okaleczenia – nadal pozostaje codzienną torturą wielu tysięcy kobiet. Spora liczba przywódców państw afrykańskich cofa się przed potępieniem czegoś, co nazywa się reakcją emocjonalną niektórych przywódców religijnych czy grup mniejszościowych. Jeden z premierów zażądał nawet, by odpowiednie prawo wprowadzano bez rozgłosu, dyskretnie – tak silny jest opór niektórych grup etnicznych. Potrzebujemy światłych duchownych i wiejskich znachorów-szamanów, żeby głosili współziomkom, iż religia absolutnie nie wymaga tego typu poświęceń.

Przecież tak nas stworzył Bóg; dlaczego więc mamy burzyć dzieło boże?

Musimy wprowadzić przedstawicieli organizacji europejskich do każdej wioski i wyjaśniać matkom, że akt „oczyszczenia" ich córek będzie miał tragiczne konsekwencje dla ich zdrowia.

W dzisiejszych czasach okaleczenia płciowego kobiet dokonuje się w około trzydziestu krajach afrykańskich, przede wszystkim w Egipcie, Mali, Erytrei, Etiopii i Somalii...

Czy turyści przybywający do Egiptu, by podziwiać wspaniałą spuściznę faraonów, zdają sobie sprawę, że w Kairze istnieją jeszcze należące do mężczyzn „pracownie", w których bezkarnie dokonuje się obrzezania dziewczynek za odpowiednią opłatą? W dodatku te lokale znajdują się w okazałych kamienicach, i to od frontu!

Oblicza się, że na świecie żyje od stu czterdziestu do stu pięćdziesięciu milionów ofiar płciowego okaleczenia. To prawie dwa i pół razy więcej niż liczy ludność Francji.

Byłam jedną z tych ofiar. Tamtego dnia dokonało się moje przeznaczenie. Tamten dzień wyznaczył mój dalszy los. Obrzezanie we wczesnym dzieciństwie, małżeństwo w wieku dojrzewania, przedwczesna ciąża w wieku kilkunastu lat; nigdy nie zaznałam niczego innego prócz poddaństwa i posłuszeństwa. Właśnie tego pragną mężczyźni dla własnej przyjemności, a kobiety naraża się na cierpienia i rujnuje im życie.

Niektóre kobiety mówią: „Ja to przeżyłam, zostałam obrzezana, dlaczego ma być inaczej z moją córką?". Sądzą, że inaczej ich córki nigdy nie znajdą męża.

Ale niekiedy w afrykańskich wioskach spotykam także nawet dziewięćdziesięcioletnie babcie, które mają inne zdanie: „Wiesz, moja córko, dlaczego mężczyźni wymyślili to wszystko? Bo chcieli nam zamknąć usta! By kontrolować nasze intymne życie!".

Pojęcie „orgazm" nie istnieje w moim języku. Kobieca przyjemność i satysfakcja seksualna jest tematem tabu; całkowicie się je ignoruje. Nigdy nie słyszałam, żeby ktoś o tym mówił. Kiedy pierwszy raz o orgazmie powiedziała pewna kobieta, natychmiast pobiegłam do biblioteki poszukać wyjaśnienia w książkach i słownikach. Dopiero wtedy zrozumiałam, czego tak naprawdę nam brakuje. Okaleczają nas we wczesnym dzieciństwie i każą wierzyć, że takie się urodziłyśmy. Pozbawia się nas przyjemności seksualnej, by nad nami dominować, ale nie pozbawia pragnienia.

Człowiek zamknięty w ciasnej więziennej celi, zakuty w kajdany i z łańcuchem na nogach, zachowuje wolność myśli. Potrzebowałam wiele czasu, zanim zrozumiałam, zanim mogłam świadczyć, mówić i przekonywać inne kobiety. Na samym początku działalności, kiedy miałam być „żywym przykładem" na jakiejś konferencji, dosłownie skręcałam się ze wstydu. Myślałam sobie: „Jestem kuriozalnym zwierzęciem, okazem, na który wszyscy przyszli popatrzeć i zastanawiać się, kim jestem".

Przyglądałam się ludziom kątem oka, próbowałam odgadnąć, o czym myślą – to było naprawdę straszne. Miałam szaloną ochotę uciec: „Właściwie dlaczego to robię? Dlaczego wystawiam się na publiczny widok? Po co w ogóle o tym mówię? Dlaczego właśnie ja?".

Niektórzy zadawali pytania bardzo bezpośrednie i osobiste, zwracając się wyłącznie do mnie, chociaż starałam się ogólnie przedstawiać problem.

– Kiedy uprawia pani miłość, co pani czuje?

Często zdarzało mi się nie odpowiadać wprost na takie pytanie lub się wymigiwać.

– Tego państwu nie powiem. To moje prywatne życie.

Usiłowałam zachować spokój, ale miałam wrażenie, że ktoś wylał mi na głowę kubeł zimnej wody. Było mi źle, wstydziłam się, drżałam. Gdy wychodziłam z tej pierwszej konferencji, miałam wrażenie, że mnie zgwałcono, zmuszając do osobistych wynurzeń.

A potem powiedziałam sobie: „Zastanów się, przecież chcesz walczyć, stawiać opór; należysz do tych, które muszą się poświęcić, żeby inne mogły normalnie żyć. Wstyd i zażenowanie schowaj do kieszeni razem z chustką do nosa i rób swoje".

Teraz często odpowiadam rozmówcy, patrząc mu prosto w twarz.

Jeśli jest Afrykaninem, mówię:

– Niech pan obejrzy sobie nieobrzezaną kobietę, a potem mi powie, jaka to różnica, bo ja nic o tym nie wiem...

Jeśli pyta biała kobieta, odpowiadam:

– Pani jest biała, a ja czarna; proszę sobie wyobrazić, że jest na odwrót; nie mogę pani wytłumaczyć, jak to jest, bo pani tego nie przeżyła.

Dzisiaj pytania tego typu już nas nie krępują. Dotarłyśmy do punktu, od którego nie ma odwrotu, trzeba ciągle iść do przodu, przecierać drogę innym, tym, które pewnego dnia przejmą od nas pałeczkę.

Jedyne pytanie, na które bardzo źle reaguję i trudno mi odpowiedzieć, dotyczy moich dzieci. Zadano mi je kiedyś w telewizji.

– Czy pani córki są obrzezane?

Nie protestowałam przy dwóch starszych i pozwoliłam na to przy trzeciej, jestem więc za wszystko odpowiedzialna. Mogłam znaleźć mnóstwo argumentów na własną obronę: byłam bardzo młodą ignorantką, w której uszach wciąż pobrzmiewały rozmowy matek, babć i ciotek. Najbardziej jednak żenował mnie fakt, że miałam mówić o córkach i ich intymnych ranach. Czułam, że nie mam takiego prawa, szanowałam swoje dzieci. Ale także nie chciałam kłamać – to nie leży w moim charakterze. Odpowiedziałam więc twierdząco. I byłam chora z tego powodu.

Ale kto lepiej niż ja, kobieta mojej generacji – obrzezana w wieku siedmiu lat po to, żeby być „czystą" do zamążpójścia jeszcze w liceum – może świadczyć o tym, co zostało jej narzucone, o późniejszych przemyśleniach, zanim zgodziła się wystąpić przed telewizyjnymi kamerami? Musiałam mieć odwagę, by stawić czoła również własnej odpowiedzialności, zbyt długo domagałam się jasnego przedstawiania tych spraw i teraz nie mogłam stchórzyć. Mam tylko ogromną nadzieję, że moje córki mi wybaczą to, co im zrobiłam.

Nie miałam jednak tyle odwagi, by spotkać jakiegoś mężczyznę i od nowa ułożyć sobie życie. Łóżko nadal pozostawało dla mnie bardzo niebezpiecznym miejscem.

Od rozwodu, a właściwie już od ślubu, byłam nieufna w stosunku do mężczyzn i miałam uczucie tak bardzo podobne do nienawiści, że moje przyjaciółki często mówiły: „Stajesz się opryskliwa!".

Zdarzyło się to przypadkiem podczas afrykańskiego chrztu, na który przyszło wielu przyjaciół. Mężczyzna tuż po czterdziestce, włosy bardziej białe niż szpakowate, zauważył mnie, nie ja jego; poprosił o mój numer telefonu koleżankę, która organizowała uroczystość, a ona skwapliwie mu podała. Przypuszczam, że z jej strony był to rodzaj przyjacielskiej pułapki, w którą miałam wpaść, by wyjść z mojej samotności. Od wielu lat byłam sama.

Ten mężczyzna nie mieszkał we Francji, lecz na północy Europy, toteż przez cały rok do mnie dzwonił bez przerwy, uporczywie. Początkowo w ogóle nie mogłam go sobie przypomnieć, nie miałam ochoty z nim rozmawiać, robiłam to jedynie przez grzeczność. Potem rozmowy stały się bardziej przyjacielskie, ale banalne, aż do dnia, kiedy zaprosił mnie do swojego kraju. Odpowiedziałam ostrożnie, coś w rodzaju: „Zobaczymy, zadzwonię do pana...”. I nie zadzwoniłam. Koleżanka z pracy – jedna z moich białych „sióstr”, i mieszkająca ze mną kuzynka wiedziały o tej dziwnej, dalekiej i telefonicznej znajomości, a także o zaproszeniu. Obie postanowiły mną „potrząsnąć”.

– Nie ma mowy, musisz tam pojechać! Rusz się z domu, to tylko weekend, dobrze ci zrobi.

Ale przecież trzeba było wsiąść do pociągu i pojechać gdzieś na koniec świata, by spotkać tam białego mężczyznę, którego prawie nie znałam, obcego. Nie przeszkadzało mi to, że był biały, tylko to, że był mężczyzną. W takich sytuacjach zawsze chowam się głęboko w mojej skorupie. Od razu się najeżyłam. Następnego dnia zadzwonił.

– Ofiarowuję pani bilet na pociąg, obchodzę urodziny i serdecznie na nie panią zapraszam!

Myślę sobie: „Uwaga, coś jest nie tak... jakiś biały zaprasza cię do siebie, daje bilet, czego może od ciebie chcieć?”.

Koleżanka z pracy śmieje się i nalega:

– Świetnie, zarezerwuję ci miejscówkę! Podoba mi się ten facet. Zresztą ja go znam. Ma wielu afrykańskich przyjaciół, niczym nie ryzykujesz.

Pewnego piątkowego popołudnia mówię dzieciom do widzenia; zajmie się nimi kuzynka. I oto siedzę w pociągu. Na pierwszej stacji mamy awarię klimatyzacji. Spokojnie czekam, aż pociąg ruszy. Naprzeciwko mnie zajął miejsce jakiś mężczyzna i wtedy nagle dociera do mnie, co robię. Wpadam w panikę: „Kompletnie zwariowałaś! Jedziesz na spotkanie z nieznajomym facetem. A jeśli chce cię zabić? Albo pociąć na kawałki? A może spalić w kominku? I nikt się o tym nie dowie!”.

Nie wiem, dlaczego wymyślam tak idiotyczne scenariusze. Przyjaciółki wiedzą, dokąd jadę, kuzynka i dzieci także, mają numer telefonu tego pana... A ja wyobrażam sobie swoje ciało pocięte na kawałki i spalone w kominku... Trzeba wracać do domu, kupić bilet powrotny do Paryża! Ale jest za późno, awaria została usunięta i pociąg rusza dalej.

Zapada noc. Im bardziej próbuję dodać sobie otuchy, tym bardziej się boję. Zupełnie nie mogę pozbyć się tej idiotycznej myśli. Posuwam się do tego, że wyobrażam sobie, co będzie „potem". Jeśli nie wrócę w przewidzianym terminie, kuzynka, dzieci i koleżanka z pewnością zaczną mnie szukać i ktoś odkryje moje poćwiartowane ciało w kominku nieznajomego mężczyzny!

Kiedy pociąg dojeżdża na miejsce, podejmuję decyzję. „Tym razem, moja droga, wysiadasz i odjeżdżasz w przeciwnym kierunku. Pociąg ma godzinę opóźnienia, on pewnie nie miał tyle cierpliwości, żeby czekać. W ten sposób unikniesz okropnej masakry!".

Pytam konduktora, o której odchodzi najbliższy pociąg do Paryża. Za czterdzieści pięć minut. Doskonale. Jednak nie tak chciało przeznaczenie. Mam pecha – on jest na peronie, czeka. Mężczyzna o szpakowatych włosach, czeka! Przyglądam mu się uważnie, jakbym miała później szczegółowo opisać mordercę. I powtarzam sobie: „Biedactwo, kompletnie zwariowałaś, kiedy cię już potnie, nie będziesz niczego opisywać!". Czerwone polo, klasyczne spodnie, skórzane, letnie buty...

– Dzień dobry, jak minęła pani podróż? Pociąg miał opóźnienie.

Uśmiecha się, jest sympatyczny, swobodny, przyjacielski; bierze moją torbę i idziemy do samochodu. Jedziemy na obiad do restauracji, opowiada mi, że zaprosił wielu przyjaciół na swoje urodziny i jutro dom będzie pełen ludzi...

Jutro dom będzie pełen ludzi. A dzisiaj? Dziś wieczorem będziemy sami? Nie ośmielam się zadać mu tego pytania, myślę: „No to już po tobie, moja siostro, teraz mu się nie wymkniesz...".

Dojeżdżamy do niewielkiego, pustego domu. Wcale nie jestem spokojna. Daję mu przywieziony z Paryża prezent, a on, zamiast powiedzieć dziękuję, całuje mnie w policzek.

I wtedy ogarnęło mnie jakieś dziwne uczucie, jakieś drżenie, coś nieznanego i przyjemnego; cofnęłam się o krok… ale ze zdumienia. Po raz pierwszy w życiu poczułam coś takiego do mężczyzny. Nie mogłam wykrztusić z siebie ani słowa, nie rozumiałam, co się ze mną dzieje.

Pomimo to wcale dobrze nie spałam tej nocy, prześladowała mnie myśl, że on może zabić mnie podczas snu albo podsunąć mi jakąś truciznę… chociaż bez przerwy sobie powtarzałam: „Przestań! Dał ci osobny pokój, jeśli chcesz, możesz zamknąć drzwi na klucz. Jest pełen szacunku, a to, co robisz, jest dziecinadą!".

Naprawdę była to dziecinada. Może nieuświadomiony powrót do tamtego bolesnego zabiegu, kto wie… Nie bardzo się znam na teoriach psychoanalitycznych.

Następnego dnia odbyło się wspaniałe przyjęcie. Patrzyłam, jak schodzą się jego przyjaciele, mężczyźni i kobiety, Afrykanie, ludzie z Surinanu. Opowiadał mi o swoich podróżach, o pasji do fotografii, tańczyliśmy i śmialiśmy się aż do późnej nocy. Nazajutrz poszliśmy dużą grupą na długi spacer po wydmach, robił zdjęcia, przy nim wszystko było takie proste, radosne i spokojne.

Wsiadłam do pociągu. Uścisnął mnie mocno na pożegnanie i nie poczułam żadnej chęci, żeby się od niego odsunąć; wręcz przeciwnie – było mi dobrze… Przez całą drogę powrotną marzyłam niczym mała dziewczynka. Od tej pory to trwa. Nareszcie znalazłam mężczyznę czułego, pogodnego, pełnego szacunku, o światłym umyśle i ogromnej życzliwości dla dzieci, które od razu znalazły z nim wspólny język. Kilka lat później wślizgnął się w moją rodzinę i moje życie z taką łatwością, że nadal jestem pod jego urokiem.

W tamtym okresie tak intensywnie pracowałam w Paryżu, że nie miałam nawet czasu na prywatne życie; byłam gotowa, żeby to zmienić, wyjechać z Francji, jeździć po innych krajach. Jestem nomadem – jak plemię Peule – muszę się ruszać. Kiedy idę z wizytą do mojej najstarszej córki, ta wita mnie słowami: „No proszę, turystka przyszła!".

Mężczyzna mój wspierał mnie i zawsze mi pomagał. Zrozumiał, że wojowanie jest dla mnie czymś więcej niż obowiązkiem, że stało się moją pasją. Zdarza mi się przebywać daleko od niego przez całe tygodnie; bardzo mi go wtedy brakuje i wiem, że on też za mną tęskni. Dzwonię do niego z każdego miejsca, w którym się zatrzymuję: z Rzymu, Sztokholmu, Londynu, Paryża, Afryki, Azji, Nowego Jorku. Trwa to od dziewięciu lat. I wciąż idę naprzód zdeterminowana, ogarnięta zawsze tą samą pasją, z niezmiennym zaangażowaniem. Aż do tego pamiętnego dnia w Organizacji Narodów Zjednoczonych, kiedy prezentowałam skromnie, ale dumnie, walkę naszej europejskiej sieci o ochronę kobiet przed okaleczaniem organów płciowych.

Oto w lutym i marcu 2005 roku odbyła się 49. Sesja Zgromadzenia Narodowego, poświęcona statusowi kobiet; w sesji tej uczestniczyło około sześciu tysięcy organizacji pozarządowych. Kiedy dowiedzieliśmy się, że rządy chcą bez zastrzeżeń ratyfikować uchwałę pekińską, podpisaną dziesięć lat wcześniej, dotyczącą walki przeciwko przemocy wobec kobiet, długo klaskałyśmy i krzyczałyśmy z radości; my, wszystkie wojowniczki najniższego szczebla, małe, pracowite mrówki. Byłam w siódmym niebie; wszystko miało się zmienić…

Jednak wieczorem, kiedy robiłam ostatnie poprawki przed wystąpieniem w Zurychu na konferencji zorganizowanej przez UNICEF, powróciłam na ziemię i zapłakałam.

Całe moje życie przewinęło się przed moimi oczami niczym film, którego pierwsza część była tragiczna.

Od pierwszego spotkania w ramach ONZ w 1975 roku w Meksyku, od czasu, kiedy zamieszkałam we Francji, minęło już trzydzieści lat. Ile kobiet cierpiało w tym okresie i cierpi nadal? Ile kobiet walczyło tak jak ja? W ilu jeszcze krajach mężczyźni nadal nie uznają praw kobiet? Przeżyłam wielką chwilę, słuchając polityków i ich pięknych wywodów. Miałam ochotę im wykrzyczeć, kim jestem i dlaczego tu jestem. Wykrzyczeć moje cierpienie i wściekłość, powiedzieć im, żeby wreszcie skończyli z czczym gadaniem i przyjrzeli się życiu kobiet, w imieniu których przemawiali i podejmowali za nie decyzje; decyzje, które może znajdą zastosowanie za pół wieku... w najlepszym razie.

Zdarzają mi się chwile zniechęcenia, czuję się ogromnie zmęczona tą niekończącą się walką, tak jak to było przed trzema laty we Włoszech, gdzie wręczono mi nagrodę za moją pracę. Otrzymałam ją wspólnie z młodą kobietą z Bangladeszu, której spalono twarz tylko dlatego, że nie chciała wyjść za mąż. Tamtego dnia także płakałam z wściekłości; kiedy patrzyłam na tę kobietę, miałam ochotę wszystko rzucić, zostawić, choć wiele jeszcze pracy przed nami, bo męskie okrucieństwo nie zna granic.

A potem odwaga wróciła. I znów nie ustaję w biegu: Nowy Jork, Genua, Zurych lub jeszcze gdzie indziej i nadal tak będzie. Dopóki nogi będą mnie nosiły, nie przestanę mówić o torturowanych i poniżanych afrykańskich kobietach.

Moja matka już nie twierdzi, że za dużo chodzę. Wierzę, że jest ze mnie dumna. To jej dedykuję tę książkę i mam nadzieję, że znajdę siłę, by ją dla niej przetłumaczyć słowo w słowo.

Muszę podziękować jej, a także ojcu za to, że posłali mnie do szkoły. Zakaz samodzielnego myślenia byłby dla mnie o wiele gorszy od fizycznego okaleczenia.

Dzięki nauce, wykształceniu – nawet jeśli na początku było ono mizerne – mogłam się rozwijać, rozumieć, mieć dostęp do informacji, a potem przekazywać je innym.

W niektórych krajach także imamowie włączyli się do pracy informacyjnej, bardzo poważnej i wyważonej. Ich celem jest szkolenie lokalnych przywódców religijnych, którzy często są niewykształceni i głoszą nieprawdziwe nauki, rzekomo oparte na Koranie. A dla miejscowej ludności nadal mają wielki autorytet, toteż ich słowa nabierają ogromnej wagi.

Z pomocą władz i służb sanitarnych w niektórych wioskach i miasteczkach masowo odmówiono zabiegu obrzezania. Jest to wspaniały i znaczący postęp, ponieważ mieszkańcy pobliskich wiosek widzą, że skoro ich sąsiedzi nie praktykują tego rytuału, to oni nie będą mogli wydać za mąż swoich córek.

Moim pragnieniem jest, by ta książka stała się dla afrykańskich kobiet bodźcem do zastanowienia się, a nie powodem do skandalu. Chciałabym, żeby została przetłumaczona i wydana w Afryce. Niestety, sądzę, że na razie jest to mało realne. W Afryce nadal podtrzymuje się tradycję przekazu ustnego. Trzeba więc liczyć na szamanów, że oni będą upowszechniać to przesłanie; wielu z nich już to robi, chcąc przyjść nam z pomocą.

Napisałam tę książkę niczym afrykański szaman nie dlatego, że chciałam pożalić się na los, lecz żeby przedstawić moją walkę, tę uporczywą drogę, która zaprowadziła mnie spod cienia mangowca przed rodzinnym domem do świateł reflektorów instytucji międzynarodowych. Od intymnego, sekretnego okaleczenia – do walki w blasku dnia.

Naszym zadaniem jest mówienie „nie" wszystkim formom przemocy i okaleczeniom. Nie można nigdy akceptować praktyk okaleczeń małych dziewczynek w imię jakiejkolwiek tradycji czy kultury.

Każda afrykańska kobieta może teraz decydować o sobie. I każda powinna wybrać własną drogę. Nikt nie ma prawa ukrywać prawdy o płci afrykańskich kobiet. Ta płeć nie jest ani diaboliczna, ani nieczysta.

Od zarania dziejów to właśnie ta płeć daje życie.

Dedykuję tę książkę mojej mamie
Moim dziadkom
Moim braciom i siostrom
Moim dzieciom, bez odwagi których nie miałabym nigdy dość siły i energii do walki
Mojemu partnerowi

Pragnę wyrazić wdzięczność wszystkim, których spotkałam na swej drodze, którzy mnie wspierali, gdy zaangażowałam się w walkę o godność fizyczną i psychiczną człowieka, o fundamentalne prawa, a przede wszystkim o prawa kobiet.

Chcę podziękować wszystkim osobom, które w tych moich zmaganiach podtrzymywały mnie na duchu z bliska czy z daleka, a także tym, którzy dołożyli wszelkich starań, żeby ta książka stała się faktem dokonanym.

Spis rozdziałów